Chère lectrice,

A cinquante-cinq ans, l'armateur ~~~~~~~~~~
riche, puissant, respecté. Après une brillante carrière dans la Marine,
il est revenu à Savannah pour reprendre les rênes de Danforth & Co,
l'entreprise de transport maritime fondée par son grand-père.

Si la réussite professionnelle d'Abraham est indéniable, sa vie
personnelle est moins heureuse. Après la mort accidentelle de sa
femme à l'âge de vingt-neuf ans, Abraham a envoyé ses cinq enfants
en pension. Délaissés par leur père pendant leurs brefs séjours à
Crofthaven Manor, la splendide propriété familiale qui surplombe
la baie de Savannah, les quatre garçons et leur jeune sœur ont trouvé
l'affection qui leur manquait auprès de leur oncle Harold.

Au moment où s'ouvre La dynastie des Danforth, nous sommes
en janvier 2004. Abraham a décidé de se présenter aux élections
sénatoriales. Pour l'aider à mener à bien sa campagne, il entend que
ses enfants donnent l'image d'une famille unie et sans reproche...

Résumé des volumes précédents...

Chargé d'installer la permanence électorale de son père, Reid
Danforth a fait la connaissance de sa jolie voisine, Tina Alexander
(La liaison secrète). Leur liaison passionnée est restée secrète, le
temps que leurs parents respectifs comprennent que leur amour n'était
pas qu'un feu de paille.

Sa sœur, Kimberly, la plus jeune et la plus rebelle des Danforth, a
dû héberger Zack Sheridan, chargé de la protéger après qu'Abraham
Danforth a reçu des lettres de menace. Après une cohabitation difficile,
Les étincelles de la passion ont fini par crépiter entre eux et les
voici maintenant inséparables.

Jacob Danforth, le cousin de Reid et de Kimberly, a eu, lui,
l'immense surprise de découvrir qu'il était papa d'un petit Peter de
trois ans ! Un secret bien caché par Larissa, la mère de Peter. Mais
tout s'est bien fini avec un mariage à Las Vegas !

Wesley Brooks n'a pas pensé au mariage lorsqu'il a surpris Jasmine
Carmody, une jeune journaliste, dans sa propriété ! Il s'est mis dans

une colère folle en comprenant qu'elle cherchait des informations susceptibles de nuire aux Danforth, qu'il considère comme sa famille adoptive. Mais le cœur a ses raisons et c'est finalement d'*Un coup de foudre à Savannah* dont ont parlé les journaux…

Ian, le fils aîné d'Abraham Danforth, a la lourde charge de diriger l'entreprise familiale depuis que son père a décidé de se présenter au Sénat. Heureusement, la jeune et jolie Katherine Fortune est arrivée à point nommé pour diriger son bureau, sa vie et même… son cœur ! Et toute la famille a applaudi l'arrivée d'*Une héritière chez les Danforth*.

Ce mois-ci :

Ambitieuse, Imogene Danforth, la fille d'Harold et Miranda, ne songe qu'à son travail dans une grande banque de Savannah. Et si elle demande au séduisant propriétaire d'un haras, le cheik Raf Shakir, de s'occuper d'elle pendant trois semaines, ce n'est pas pour qu'il lui fasse la cour, mais pour qu'il lui apprenne à monter à cheval… afin de gagner la confiance d'un client potentiel, féru d'équitation ! Mais un séjour à la campagne, en compagnie d'un prince du désert aux yeux d'orage, pourrait bien amener Imogene à penser à autre chose qu'à conquérir de nouveaux marchés…

Le mois prochain, la dynastie des Danforth se poursuit. Vous aurez le plaisir de la retrouver chaque mois jusqu'en décembre 2005.

La responsable de collection

KRISTI GOLD

Parce que l'amour est à ses yeux le meilleur des remèdes, quels que soient les maux, Kristi Gold savoure chaque jour sa joie de contribuer à soigner nos petits et gros bobos grâce à ses romans où l'amour, justement, tient la première place.

Auteur de best-sellers, elle a reçu bien des récompenses. Mais, dit-elle, si la gloire réchauffe le cœur, rien ne la touche davantage que les témoignages de confiance de ses lectrices, quand celles-ci lui écrivent pour partager avec elle confidences, secrets, histoires personnelles...

Kristi vit dans un ranch, au Texas, avec son mari et ses trois enfants.

Cet ouvrage a été publié en langue anglaise
sous le titre :
CHALLENGED BY THE SHEIKH

Traduction française de
SYLVETTE GUIRAUD

HARLEQUIN®

est une marque déposée du Groupe Harlequin
et Passion® est une marque déposée d'Harlequin S.A.

Originally published by SILHOUETTE BOOKS,
division of Harlequin Enterprises Ltd.
Toronto, Canada

KRISTI GOLD

Rencontre passionnée

Collection *Passion*

éditions**Harlequin**

LA DYNASTIE DES DANFORTH

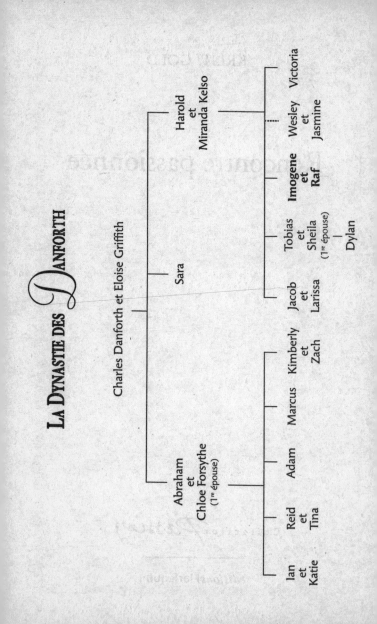

Charles Danforth et Eloise Griffith

Abraham
et
Chloe Forsythe
(1re épouse)

- Ian
  et
  Katie
- Reid
  et
  Tina
- Adam
- Marcus
- Kimberly
  et
  Zach

Sara

Harold
et
Miranda Kelso

- Jacob
  et
  Larissa
- Tobias
  et
  Sheila
  (1re épouse)
  |
  Dylan
- **Imogene**
  et
  Raf
- Wesley
  et
  Jasmine
- Victoria

The
Savannah Spectator

Indiscrétions

Un conte des mille et une nuits à Savannah ?

Si vous lisez cette rubrique, vous savez qu'un prince du désert a élu domicile dans nos vertes contrées, à quelque trente kilomètres de notre bonne ville. Mais depuis son arrivée en Géorgie, il s'est volontairement tenu à l'écart de ses semblables, malgré les nombreuses invitations de la haute société de Savannah. Il a toujours préféré la solitude... royale de son haras où il élève des pur-sang de renommée mondiale.

Mais depuis peu, cet homme élégant — et très séduisant —, semblerait avoir ouvert les hautes grilles ouvragées de sa propriété pour y laisser pénétrer une jeune femme. Et pas n'importe laquelle ! Le nom de cette heureuse élue est bien connu des habitants de Savannah puisqu'un des membres de sa famille est en pleine campagne électorale... Mais chut ! Nous n'en dirons pas plus, de peur de nous attirer les foudres de ladite demoiselle qui semble avoir délaissé, pour un temps, la conquête de nouveaux marchés financiers pour celle... du cheval !

Enfin, c'est ce qu'on voudrait nous faire croire puisque l'héritier du désert affirme avoir invité notre charmante héroïne dans son haras dans le seul but de lui donner des leçons d'équitation...

Quoi qu'il en soit, nous ne manquerons pas de vous tenir au courant des progrès de notre cavalière et de son... mentor. Au triple galop, s'il le faut !

1

Imogene Danforth contemplait le magnifique dos brun, nu et musclé de l'homme qui étalait avec soin de la sciure sur le sol à l'aide d'une pelle. Il ne portait pour tout vêtement qu'un vieux jean usé jusqu'à la corde qui arborait un accroc juste au-dessous de la poche arrière. Imogene aperçut un carré de peau d'une jolie teinte mordorée…

Elle secoua la tête. Elle n'était pas ici pour admirer un garçon d'écurie ! Sa présence dans ce haras était strictement d'ordre professionnel.

— Bonjour ! dit-elle d'une voix forte.

L'homme se retourna. Il était superbe. Elle détailla les cheveux noirs ébouriffés, le nez droit, les lèvres pleines, encadrées par l'ombre d'une barbe naissante, le torse aux abdominaux bien dessinés.

L'inconnu, aux yeux gris comme l'orage, la jaugea de la même manière, un sourire appréciateur aux lèvres.

— En quoi puis-je vous aider ?

— Je cherche le cheikh Shakir.

— Il vous attend ?

Imogene savait qu'elle aurait dû téléphoner pour prévenir de sa visite, mais elle n'en avait pas eu le temps. Elle avait trouvé l'adresse du haras sur Internet, découvert que c'était le plus proche de Savannah et avait quitté son bureau à la hâte.

— Non, reconnut-elle, mais la pancarte à l'extérieur indique que les visiteurs sont les bienvenus.

— Tout dépend de ce que vous lui voulez.

Imogene toisa l'employé.

— Je veux lui louer un de ses meilleurs chevaux.

— Je sais que son Altesse ne prêtera pas un pur-sang de son écurie sans en savoir un peu plus sur vos intentions.

— Je comprends ça parfaitement. Aussi, allez donc le chercher…

L'homme posa sa pelle contre le mur et s'empara d'une chemise en denim suspendue à un clou. Il l'enfila sans se soucier de la boutonner. Puis il se retourna vers Imogene.

— C'est inutile. Vous l'avez devant vous, dit-il.

— Ecoutez, si c'est une plaisanterie, je n'ai vraiment pas de temps à perdre…

— Moi non plus. *Je suis* le cheikh Raf ibn Shakir.

La surprise d'Imogene céda la place à l'irritation.

— Vraiment ? Alors, pourquoi vous faites-vous passer pour un palefrenier ?

— Je suis ici chez moi, je fais ce que je veux, lui répondit-il d'un ton uni. Et maintenant que vous connaissez mon identité, puis-je savoir à qui ai-je l'honneur ?

— Je suis mademoiselle Danforth, répondit Imogene, légèrement confuse.

Raf pencha la tête sur le côté pour mieux la regarder.

— Vous êtes parente avec le candidat au Sénat ?

— Oui, Abraham Danforth est mon oncle.

— J'ai un grand respect pour lui et ses idées.

— Il apprécie votre soutien sans aucun doute, commenta Imogene d'un ton léger. Mais, *moi*, j'attends autre chose de vous.

Raf Shakir la considéra d'un air narquois.

— Ça, je crois l'avoir compris ! Depuis combien de temps faites-vous de l'équitation ?

Imogene se remémora le poney qui l'avait jetée par terre la première — et unique — fois qu'elle était montée dessus. Elle hésita à mentir.

— En fait, il y a un petit moment que…

Raf plissa les yeux.

— C'était *quand*, exactement, la dernière fois ?

— Il y a une vingtaine d'années.

— Je vois… Et quel âge avez-vous aujourd'hui ?

— Vingt-cinq ans, presque vingt-six.

— Donc, vous aviez *cinq* ans la dernière fois que vous vous êtes retrouvée sur une selle ?

— Euh, oui.

— Alors, c'est non.

— Quoi, non ? rétorqua Imogene qui commençait à perdre patience.

— Je refuse de louer un cheval à une cavalière débutante.

— Cheikh Shakir, vous ne comprenez pas dans quelle situation je me trouve : je suis conseillère en investissements bancaires et je dois faire bonne impression face à un important client potentiel qui me prend pour une cavalière accomplie. Au sens propre, je dispose de trois semaines pour me mettre en selle si je veux remporter cette affaire.

— Quelle conscience professionnelle ! ironisa-t-il. Mais je ne crois pas pouvoir vous aider à concrétiser votre mensonge…

— Faites un effort, allons, répondit Imogene d'un ton cajoleur. Je suis sûre que vous possédez dans vos écuries un canasson capable de faire un tour de piste. N'importe quoi susceptible de me maintenir en selle un peu plus longtemps que quelques minutes…

Raf la regarda d'un air amusé, mêlé d'un brin de commisération.

— Il n'y a aucun *canasson* ici, comme vous dites. Je ne possède que des bêtes de tout premier choix et pas des « n'importe quoi ». Ils vous jetteraient à terre, à peine seriez-vous sur leur dos.

— Et si vous me donniez des leçons ? insista Imogene.

— Trois semaines n'y suffiraient pas. A moins de vous entraîner au moins huit heures par jour, et encore !

— Mais cela serait impossible, pour moi aussi, de toute façon. Je travaille à Savannah. Faire l'aller-retour entre le centre-ville et ce coin perdu…

— Ecoutez, c'est vous qui êtes venue me chercher. Si vous voulez tenter, je dis bien *tenter*, de faire illusion dans trois semaines, je ne vois qu'une solution…

— Laquelle ?

— Suivre mes conseils et venir habiter au haras pendant cette période pour un stage intensif.

— Mon employeur ne voudra jamais.

— C'est à prendre ou à laisser, mademoiselle Danforth.

Imogene réfléchit à toute allure. Son avancement au sein de la banque dépendait de ce client potentiel, et puis c'était Sid Carver, son patron, qui l'avait mise dans cette situation ridicule. Il ne pourrait lui refuser cet arrangement.

— Bon, je crois pouvoir m'organiser.

— Une dernière chose. Puisque nous allons travailler ensemble, laissons tomber les convenances. Quel est votre prénom ?

— Je m'appelle Imogene.

Il fronça les sourcils.

— Cela ne vous va pas du tout.

— Je vous demande pardon ?

— Votre prénom ne convient pas à votre personnalité.

Imogene releva le menton et darda sur lui des yeux verts offensés.

— Mes parents m'ont donné le prénom de ma grand-tante qui était une femme d'affaires de premier plan !

Raf ne put retenir un sourire.

— J'apprécie, tout comme vous, l'importance des traditions familiales, mais je reste persuadé qu'un autre nom vous siérait mieux.

Imogene le regardait, les yeux écarquillés de surprise devant son culot. Au même moment, Raf Shakir s'approcha d'elle et, incapable de se retenir, tendit la main pour écarter de la joue d'Imogene une mèche de cheveux blonds dont il apprécia la douceur dans sa paume calleuse.

— Vous avez des étincelles magiques dans les yeux, dit-il. Je vous appellerai donc Génie.

Imogene tressaillit. C'est ainsi que sa petite sœur Victoria, lorsqu'elle était trop jeune pour prononcer son nom correctement, l'appelait. Cela faisait déjà cinq ans qu'elle avait disparu…

Le chagrin, et surtout la culpabilité qu'elle éprouvait, la submergèrent d'émotion et elle se mordit la lèvre pour s'empêcher de pleurer.

Le cheik Shakir s'en aperçut.

— Si ce surnom vous met mal à l'aise, je…

Imogene secoua la tête.

— Non. C'est simplement que cela me fait penser à quel-qu'un.

Ce devait être un homme, se dit Raf, qu'elle n'avait pas réussi à oublier.

Imogene haussa les épaules et conclut :

— Et puis, c'est vrai que je vais avoir besoin de pas mal de magie pour apprendre à monter en trois semaines !

Sans crier gare, le cheik Shakir tourna les talons et lança par-dessus son épaule :

— Rendez-vous demain matin à 7 heures *précises.* Sinon, je ne pourrai plus m'occuper de vous…

Troublée, Imogene le regarda s'éloigner vers le fond des écuries. Elle rajusta la veste de son tailleur cintré de femme d'affaires et haussa les épaules.

Elle n'allait pas laisser un homme, fût-il de sang royal et même aussi diablement séduisant, lui dicter sa conduite !

2.

Le lendemain matin, pour la seconde fois en deux jours, Imogene suivit la longue route bordée de chênes verts aux longues branches, de barrières blanches et d'enclos bien délimités. Négligeant le chemin menant aux écuries, elle s'engagea dans l'allée circulaire face à la demeure blanche traditionnelle, avec ses persiennes et toute la grâce des vieilles plantations du Sud. La bâtisse à l'architecture raffinée constituait une véritable oasis plantée au milieu d'un *no man's land* situé non loin d'une petite rivière au nom imprononçable entourée de marais. Cotton Creek, la ville la plus proche, était à plus de trente kilomètres.

Imogene sortit de sa BMW, une valise à la main, et alla sonner à la double porte en châtaignier. Elle attendit ce qui lui parut être un temps interminable que quelqu'un vienne lui ouvrir.

Enfin, une dame d'environ soixante ans apparut. Elle était vêtue d'un chemisier rose vif et d'une jupe gris foncé qui s'arrêtait juste sous les genoux. Un rang de perles, typique d'une dame aux manières raffinées, ornait sa gorge.

— Bonjour, dit Imogene avec un sourire, je cherche le cheikh Shakir.

Puis elle attendit le classique accent de Géorgie et la courtoisie légendaire des gens du Sud qui accompagneraient certainement les mots de bienvenue.

— Que diable lui voulez-vous ? lança l'inconnue.

Eh bien, pour le charme du Sud, elle pouvait repasser !

— Il m'a invitée, répondit Imogene. Je dois résider ici ces trois prochaines semaines.

La femme laissa fuser un rire plein d'ironie.

— C'est ce qu'elles disent toutes !

Imogene fronça les sourcils.

— Pardon ?

— Oui, toutes ces femmes qui se précipitent ici comme des mouches à miel sur du sucre, mon chou.

— Je n'en fais pas partie, répondit Imogene sèchement. Je suis ici pour affaires.

— Elles disent toutes ça ! De plus, nous sommes samedi. Personne ne traite d'affaires un samedi.

Imogene commençait avoir la moutarde qui lui montait au nez.

— Je vous assure que je suis ici uniquement pour apprendre à monter à cheval. Demandez au cheikh Shakir. Il vous le confirmera. D'ailleurs, il m'attend.

Son interlocutrice n'en parut que plus soupçonneuse.

— Il ne m'a pas parlé de vous. D'ailleurs, il n'est pas ici.

« Ça commence bien ! » songea Imogene.

— Et où est-il ?

— Où croyez-vous donc qu'il soit ? rétorqua la gouvernante.

— Je n'ai aucune idée de l'endroit où il peut se trouver. Aux écuries, peut-être ?

— Gagné ! Et sans doute en train de se rouler dans le crottin ! Cet homme se conduit plus comme un ouvrier agricole que comme un prince. Enfin, ça n'empêche pas les femmes de lui faire les yeux doux en pensant à son carnet de chèques !

Imogene leva la main dans un geste solennel, pour tâcher de détendre le cerbère qui gardait si férocement le domaine du cheikh Shakir.

— Je vous jure que je n'en veux pas à son portefeuille.

A son portefeuille d'actions, à la rigueur, rectifia-t-elle *in petto*, et de toute façon, d'un point de vue strictement professionnel !

— Alors, vous devez plutôt vous intéresser à ce qu'il a dans son pantalon, conclut l'autre avec un sourire entendu.

Imogene faillit s'étrangler devant une telle verdeur de langage.

— Ecoutez, madame… si vous pouviez vous contenter d'aller chercher votre patron, nous éclaircirions ceci en un rien de temps.

— Oh, et puis, pourquoi pas, après tout ! dit l'autre en s'écartant. Je ne vais pas continuer à faire la police de la plantation. J'ai déjà bien trop à faire à diriger cette maison. Entrez et prenez un fauteuil dans le salon. Je vais voir si je peux le trouver.

Imogene lui emboîta le pas et s'installa sur un canapé de satin bleu. Elle croisa les mains sur ses genoux.

— Merci de votre obligeance, madame.

— Appelez-moi Doris. Et vous, qui êtes-vous, au fait ?

— Imogene Danforth, de Savannah.

Doris ouvrit des yeux ronds.

— Danforth ? Etes-vous parente avec le sénateur Abraham Danforth ?

Ce brave vieil oncle Abe ! songea Imogene. Combien de portes ne lui avait-il pas déjà ouvertes…

— Il s'agit de mon oncle, mais il n'est pas encore sénateur.

— Oh, il le sera, dit Doris en se tapotant les cheveux. Vous pouvez me faire confiance. Il aura toutes les voix des femmes, y compris la mienne.

La vieille femme sourit enfin.

— Puis-je vous apporter du thé ? Des petits gâteaux, peut-être ?

Quel retournement de situation, s'amusa Imogene.

Sur son refus, la gouvernante s'éclipsa en promettant qu'elle allait lui ramener son employeur.

Restée seule, Imogene s'efforça de se détendre sans toutefois y parvenir.

— Ainsi, vous avez décidé de revenir !

Surprise, Imogene leva les yeux. Le cheikh Shakir se tenait sur le seuil. Il était en costume de travail — chemise en denim usé et jean. Imogene se leva d'un bond, trébucha sur sa valise et serait tombée à plat ventre si le cheik ne s'était pas précipité pour la redresser, la saisissant entre ses bras puissants.

Dans le genre cliché digne d'un film hollywoodien, songea Imogene, elle n'aurait pas pu faire mieux !

Elle n'aurait pas été surprise s'il s'était imaginé qu'elle avait tout calculé à seule fin de connaître l'effet de ses muscles virils plaqués contre ses seins.

— Désolée, marmonna-t-elle. Vous allez penser que je ne serai sûrement pas capable de diriger un cheval en marche si je ne le suis pas pour éviter une valise immobile.

Fait curieux, il ne la lâcha pas.

— Je ne pourrai pas juger de vos capacités tant que je n'aurai pas passé assez de temps avec vous.

Soudain, Imogene n'avait plus envie de s'écarter de lui. Pourtant, elle n'eut pas le choix, car il la remit d'aplomb et, en même temps, fit un pas en arrière.

— Je vais vous montrer votre chambre, dit-il en ramassant ses bagages.

Imogene s'attendait à ce qu'il l'entraîne vers le bâtiment qui abritait les écuries mais, en quittant la pièce, il tourna tout de suite à droite et emprunta un escalier. Sur le palier, il tourna encore à droite et suivit un long couloir moquetté de bleu paon, et décoré d'une multitude de statues de divinités plus ou moins dévêtues. L'opulence des lieux indiquait exactement qui était Raf et quelle était l'étendue de ses possessions. L'ensemble parut pourtant familier à la jeune femme. Il ressemblait au décor dans lequel elle avait elle-même grandi, Crofthaven Manor, avec ses objets anciens, et

18

le charme de la tradition. Mais la chambre où il l'introduisit d'un geste de la main était très différente.

— Voici vos quartiers pour la durée de votre séjour.

Imogene franchit le seuil et examina les lieux. La chambre était meublée dans le style contemporain chic depuis le lit immense et le tapis blanc jusqu'au mur tapissé de glaces encadrant une cheminée de marbre noir. Au fond, une porte s'ouvrait sur une baignoire à la romaine, flanquée de colonnes de marbre blanc, dans laquelle on descendait par une marche. A droite, se trouvait une petite chaise ivoire près d'une double fenêtre menant à une véranda cernée de fer forgé noir qui surplombait les terres.

— C'est magnifique, déclara Imogene en se retournant vers Raf. Mais je suis un peu surprise par la décoration.

— Cela ne vous plaît pas ? Il y a plusieurs autres chambres, vous savez. La plupart ont été restaurées dans le style d'origine lorsque j'ai acheté la maison.

Imogene secoua la tête en signe de dénégation. Pourtant, elle avait une étrange impression de fragilité, en se tenant dans cette pièce. Peut-être à cause de la hauteur du plafond et de tout ce verre. Ou alors de la présence de cet homme grand et brun qui lui faisait ressentir de manière plus évidente sa propre féminité.

— Ma suite est à deux portes d'ici, dit-il comme s'il devinait ses pensées. Si vous avez besoin de quoi que ce soit pendant la nuit, vous pouvez m'appeler par l'Interphone.

— Je ne vois pas de quoi je pourrais avoir besoin la nuit, rétorqua-t-elle.

— Peut-être d'un peu de compagnie ?

Une proposition certes très tentante, mais très peu professionnelle.

— Je vis seule. J'ai l'habitude de la solitude.

— Je suis sûr que, certaines nuits, vous n'arrivez pas à dormir.

Comment diable pouvait-il le savoir ?

— Oh, je dors très bien, la plupart du temps.

— Mais pas toujours, n'est-ce pas ? Moi aussi, j'ai parfois du mal à dormir.

— Les soucis d'affaires sont parfois envahissants, même la nuit, avança Imogene.

— Sans doute, mais il ne s'agit pas toujours des affaires.

Ses grands yeux gris la scrutèrent avec intensité et Imogene ressentit la curieuse impression qu'il savait exactement ce qui troublait ses nuits. Il posa la valise sur le sol au pied du lit.

— Peut-être devriez-vous vous changer maintenant, suggéra-t-il. De cette manière, vous pourrez prendre votre première leçon avant le déjeuner.

— Me changer ? Comment ? Pour mettre quoi ?

— Quelque chose de plus adéquat.

Imogene jeta un coup d'œil sur son pantalon sport noir, ses tennis blanches et son haut turquoise.

— Ce que je porte ne convient pas ?

— Vous n'avez pas apporté de tenue d'équitation ?

— Non, car je n'en ai pas.

L'air interloqué, Raf se dirigea vers l'Interphone près de la porte.

— Doris, dit-il, apportez à mademoiselle Danforth quelques vêtements plus appropriés pour monter à cheval.

— D'accord, patron, répondit-elle d'un ton jovial.

— Quand vous serez prête, rejoignez-moi aux écuries, indiqua Raf avant de quitter la chambre.

Décidément, songea Imogene, Raf Shakir était un homme énigmatique. La veille, il avait déployé son charme, aujourd'hui, il gardait ses distances. De toute façon, quelle importance ? Après tout, il n'était pas son type, si tant est qu'elle en eût un ! Depuis sa rupture avec Wayne, qui datait d'un peu plus d'un an, elle avait fait une croix sur sa vie amoureuse, préférant penser à son travail. Elle adorait son métier et avait bien l'intention de s'y accrocher et d'escalader la proverbiale échelle des promotions, quoi qu'il lui en coûtât, et même si sa vie sociale s'en trouvait réduite à néant.

Quelques instants plus tard, Doris la tira de ses réflexions en entrant dans la chambre, munie de jodhpurs beiges et d'une paire de bottes en caoutchouc noir.

— Voilà, mon chou. Essayez ça. Je crois que ça devrait vous aller.

Imogene saisit le pantalon et le souleva pour l'examiner.

— D'où cela vient-il ?

— D'une femme quelconque, dit Doris en évitant son regard.

— J'avais compris.

— En tout cas, ils n'appartiennent pas à l'épouse du cheikh Shakir, si c'est ce qui vous tracasse.

— Son épouse ? Il est marié ?

Le regard de Doris revint se planter dans celui d'Imogene.

— Il ne l'est plus. Vous ne le saviez pas avant d'accepter d'habiter ici ?

— Euh, non, répondit Imogene.

Doris secoua la tête.

— Bah, de toute façon, je ne suis pas libre de vous donner des détails sur son passé. Et, au cas où vous vous mettriez en tête de lui poser des questions, je vous signale que le cheikh est un homme très secret, alors ne croyez pas que vous arriverez à le faire parler. Moi non plus, d'ailleurs !

Mieux valait, se dit Imogene, ne pas se montrer trop curieuse si elle voulait gagner la confiance de la gouvernante.

— Sa vie personnelle ne m'intéresse pas, répondit-elle.

Doris posa ses mains sur ses hanches rebondies.

— Mon chou, si vous ne vous intéressiez pas à la vie privée de Raf Shakir, ce serait bien une première ! La plupart des belles du coin meurent d'envie d'en savoir plus à son sujet.

Imogene s'assit sur le rebord du lit et se débarrassa de ses tennis.

— Dites-moi, Doris, aucune de ces belles que vous mentionnez est-elle jamais parvenue à connaître mieux le cheikh ?

Elle regretta aussitôt sa question en voyant le coup d'œil malicieux que Doris posa sur elle.

— C'est un homme, mon chou, et tous les hommes que je connais doivent prendre en compte certains... appétits de temps à autre, sinon c'est l'explosion !

— Alors, il n'a pas de petite amie régulière ? demanda Imogene, un soupçon d'espoir dans la voix.

Cette fois, Doris lui jeta un coup d'œil entendu.

— Mon chou, seriez-vous intéressée par les joyaux de la couronne ?

— En fait, non, répondit Imogene, sentant le rouge lui monter au front. Simple curiosité de ma part. Je tiens à être sûre de ne pas me retrouver en face d'une femme jalouse qui n'apprécierait pas de me voir installée ici.

— Cela n'arrivera pas, mon chou. En fait, il est plutôt en manque depuis un certain temps.

Imogene faillit éclater de rire. Elle aurait pu qualifier sa vie sentimentale exactement de la même façon.

— Je ne pense qu'à prendre des leçons d'équitation, dit-elle sobrement.

Doris lui fit un clin d'œil entendu.

— Oh, le cheikh est un excellent professeur. Il pourra *aussi* vous apprendre à monter à cheval.

Sur ce trait, la gouvernante franchit le seuil avec force ricanements, laissant dans son sillage une puissante odeur de lavande.

Après son départ, Imogene se débarrassa de son pantalon et enfila les jodhpurs et les bottes. Devant le mur de miroirs, elle découvrit que cette tenue lui allait à la perfection. Mais elle était un peu déconcertée de porter les vêtements d'une autre femme, sans doute l'une des maîtresses de son hôte. Pourquoi Raf Shakir les conservait-il ? Les considérait-il comme les témoins d'une mémorable relation amoureuse ? Celui d'une femme à laquelle il était toujours attaché ? Imogene ne croyait pas trop à cette hypothèse. Raf appartenait plutôt à cette espèce d'hommes qui prennent une femme et puis s'en vont. Le genre d'homme dont il vaut mieux s'éloigner si on a envie de construire une relation à long terme, pensa Imogene.

Bien entendu, elle ne pourrait pas s'en éloigner vraiment, puisque son apprentissage était entre ses mains. Mais elle devait se rappeler de faire en sorte d'éviter de placer tout autre chose entre ces mêmes mains. Même s'il semblait facile de l'oublier.

A la minute où Imogene fit son apparition dans l'écurie, une formidable envie de la prendre dans ses bras s'empara de Raf. Les jodhpurs mettaient en valeur ses longues jambes et l'agréable courbe de ses cuisses et de ses hanches. Il remercia en silence Mary Christine Chatham d'avoir abandonné ses vêtements dans sa hâte et sa colère qu'il n'ait pas voulu l'épouser. Doublement insultée parce qu'il avait aussi refusé de coucher avec elle. Mais elle devait beaucoup moins regretter d'avoir oublié sa tenue de cavalière que l'occasion d'attraper un mari fortuné !

Les vêtements avaient beaucoup plus d'allure sur Génie. D'ailleurs, en demandant à Doris d'apporter à Imogene cette tenue, il avait très bien deviné que la culotte et les bottes souligneraient la silhouette magnifique de la jeune femme. Car il connaissait bien les femmes. Physiquement et émotionnellement. Il savait ce qui les faisait soupirer, ce qui les faisait trembler, ce qui les faisait pleurer.

De plus, il était doté d'une excellente intuition quand il s'agissait du sexe opposé. Et, lorsque, la veille, il avait rencontré Imogene, il avait compris qu'il ne fallait pas s'attarder sur les apparences. Elle voulait donner l'image d'une femme d'affaires forte, presque masculine, en dépit de ses cheveux mi-longs d'un blond doré et de la séduction de ses traits. Mais il avait décelé sa vulnérabilité lorsqu'elle avait attaché sur lui le regard inquisiteur de ses yeux d'émeraude.

Il lui parut tout à coup très rafraîchissant de se dire qu'elle n'était pas venue le voir pour son argent ou sa position, mais pour des leçons d'équitation. Peut-être alors serait-elle intéressée par ce qu'il pouvait lui offrir dans le domaine du plaisir ? Mieux valait quand même ne pas lui poser la question. Pour l'instant, elle ne paraissait pas sensible à une quelconque suggestion de cet ordre.

Quoi qu'il en soit, s'il continuait à la détailler ou à imaginer ce qu'il ressentirait en la touchant sous ses vêtements, il risquait fort de succomber. Rassemblant toute sa détermination, il lui fit signe de venir vers lui.

— J'aimerais vous présenter quelqu'un, dit-il.

Imogene entama quelques pas prudents dans sa direction.

— Le *vrai* palefrenier ?

— Non, mais c'est un mâle et il est très amical.

Imogene le rejoignit devant la stalle et jeta un coup d'œil à l'intérieur.

— Ciel ! s'exclama-t-elle, les yeux écarquillés. Dois-je vraiment monter sur quelque chose d'aussi grand ?

Raf éprouva un certain mal à dissimuler un sourire.

— Je vous assure que celui-ci est très sûr.

— Je l'espère bien, répondit-elle en croisant les bras sous ses seins.

Raf ouvrit la porte de la stalle. Le hongre continua à manger du foin sans se soucier de ses visiteurs.

— Maurice, une dame désire te voir, dit Raf.

Génie laissa fuser un léger rire.

— Maurice ? Votre cheval s'appelle Maurice ?

— C'est son nom d'écurie seulement. C'était le prénom du mari de son ancienne propriétaire. Son nom officiel est King Jassim shaaTir of miSir, si vous préférez l'appeler ainsi.

24

— Bon, dans ce cas, Maurice fera l'affaire !

Raf la prit par la main et la fit entrer dans la stalle, savourant la sensation de ses doigts minces enlacés aux siens.

— Il faut faire sa connaissance, maintenant, dit-il en espérant secrètement que, peut-être, lui-même la connaîtrait aussi mieux.

Il lui lâcha la main et la prit par les épaules pour la guider à l'intérieur de la stalle. Quand le hongre se détourna et hennit, Génie se raidit.

— Salut, Maurice. Comment ça va ?

Le cheval baissa la tête, ramassa un brin de paille sur le sol avant de frotter son museau contre sa main, sans doute en quête d'une friandise. Génie était toujours raide et quelque peu méfiante.

— N'ayez pas peur de le toucher, dit Raf. Il est très doux.

Elle parvint enfin à lever la main et à le gratter derrière les oreilles. Maurice en profita pour enfouir son museau entre ses seins. Raf en éprouva un brusque élancement de jalousie et une certaine tension sexuelle se fit jour en lui. En secret, il maudit son absence de maîtrise, mais il le savait très bien, ce n'était que le début du combat qu'il allait devoir mener.

— Ce n'est qu'un grand bébé, dit Génie, l'air ravie des attentions du cheval.

— Il préfère les femmes aux hommes, répondit Raf. Et cela depuis toujours, même s'il ne peut plus se reproduire.

Le regard de Génie se détourna de Maurice et elle regarda Raf.

— Cela semble injuste. Comment peut-il se distraire ?

— Oh, en faisant de longues balades le long des pistes qui mènent vers l'eau. C'est là toute l'étendue de ses activités.

C'était tout à fait son propre cas ces temps-ci, songea Raf avec un brin d'ironie. A ceci près que lui avait choisi cette existence de solitude intime. S'il s'était volontairement consacré à l'élevage des chevaux de prix et avait bâti son affaire et sa renommée d'éleveur en Amérique, c'était pour tirer un trait sur son passé.

Certains jours, cela marchait bien. D'autres non. En de rares occasions, il lui arrivait d'escorter une femme ou une autre, mais uniquement dans des manifestations publiques pour sauvegarder les apparences. Aucune n'avait capté son attention… jusqu'à ce jour.

En présence de Génie, il ressentait un besoin étrange de connaître une fois de plus la gratification que peut apporter la présence d'une femme pour un peu plus longtemps qu'une soirée. Quelle étrange sensation de découvrir cela en lui après un si court laps de temps. Mais peut-être ne s'agissait-il que d'un désir charnel trop longtemps contenu ? Ou bien, peut-être était-ce à cause de la force de caractère de Génie, ou alors simplement de voir son visage s'illuminer de joie et d'une innocence enfantine en se découvrant des affinités avec un animal ?

Génie appuya son front contre celui de Maurice, comme une mère peut le faire avec son enfant.

— D'accord, mon grand, dit-elle. Si tu prends soin de moi, je prendrai soin de toi Si tu me le promets, je convaincrai sûrement ton maître de te donner autre chose à manger que cette avoine trop sèche.

Raf tira un bonbon de sa poche.

— Vous pouvez lui donner ça.

Génie regarda fixement sa main.

— Il aime la menthe ?

— Oui.

Il lui prit la main et l'ouvrit pour déposer la friandise au creux de sa paume.

— Mettez bien votre main à plat pour lui permettre de le prendre. C'est un bon garçon, mais il est parfois impatient quand il s'agit de nourriture.

Génie suivit ses instructions à la lettre, ce qui le combla d'aise. Quand Maurice eut avalé le bonbon, Raf accrocha la longe à la bride.

— Maintenant, dit-il, nous allons avoir notre première leçon.

Génie sortit d'abord de la stalle ce qui permit à Raf d'admirer la taille mince de la jeune femme et les rondeurs de son postérieur qui épouserait parfaitement le creux de ses mains.

— Où allons-nous ? demanda Génie.

S'il ne tenait qu'à lui ? Droit dans son lit !

— Dans le manège à l'extérieur. Nous commencerons d'abord en douceur, avant de nous attaquer à des choses un peu plus difficiles.

Génie se retourna vers lui. Maintenant, il avait un coup d'œil parfait sur sa poitrine.

— En douceur comment ? demanda-t-elle.

Oh, aussi doucement qu'elle le voudrait ! Tout au long de la nuit jusqu'à l'aube. Jusqu'à ce qu'ils soient tous deux repus de passion.

— Nous commencerons par la marche au pas. Ensuite, nous progresserons quand je vous sentirai prête.

— Cela me paraît plutôt ennuyeux.

Comme il l'avait soupçonné, Imogene serait difficile à contrôler. C'était sans doute merveilleux pour l'amour mais pas pour des leçons d'équitation.

— Cela ne vous paraît peut-être pas très passionnant, mais c'est nécessaire.

— J'apprends vite, vous savez.

— Il y a une foule de notions que vous devrez apprendre sur les chevaux et beaucoup plus encore sur la manière de leur montrer ce que vous attendez d'eux.

Raf ne put s'empêcher de penser qu'il en était de même entre un homme et une femme et qu'il en serait ainsi entre lui et Génie, s'il décidait de suivre cette voie.

— Je suppose, dit-elle, que les chevaux doivent apprendre à déchiffrer nos signaux, notre langage corporel ?

— Tout à fait.

Elle se rapprocha de lui.

— Un signal erroné et ils pourraient commettre une erreur ?

— Oui. Je vous montrerai ça.

— Parfait. Je ne voudrais pas faire des fausses manœuvres ou me tromper.

Le regard de Raf remonta de l'allée menant à l'arène jusqu'au lumineux sourire de son « élève ».

— Vous connaîtrez tous les signaux corrects, je vous le promets. Peu à peu. Jusqu'à ce que vous soyez certaine de vos capacités. Jusqu'à ce que vous ayez pleinement confiance en vous.

Raf s'arrêta au portillon ouvrant sur l'enclos et lui fit face.

— Très bien, dit-elle en se passant la main dans ses cheveux dorés par le soleil de juin. Je suis très impatiente. Comme vous le devinez peut-être, j'ai assez confiance en moi et il ne me faut pas très longtemps pour apprendre, à condition de désirer quelque chose avec assez de force.

Ses yeux étaient pleins de défi. Un sentiment qui agit sur Raf comme un aiguillon puissant au creux de ses reins.

— Jusqu'à quel point désirez-vous ceci ?

— Si je ne le désirais pas autant, croyez-vous que je serais là en ce moment ?

Comme il serait simple, songea-t-il, de lâcher le licol qui retenait le hongre et de la prendre dans ses bras !

Il était certain que Maurice ne s'aventurerait pas très loin, mais lui, Raf, craignait au contraire d'aller trop vite et trop loin. Ils étaient en terrain découvert et plusieurs de ses hommes observaient la scène depuis les écuries, à proximité immédiate. Il leur suffirait de jeter un coup d'œil sur son visage pour deviner qu'il désirait Génie. Avec férocité.

Ses raisons de garder ses distances l'emportèrent. Il ouvrit le portillon et, d'un ton plus rude qu'il n'en avait eu l'intention, lui ordonna d'entrer. Il attacha Maurice à la barrière et fit un geste.

— Vous pouvez monter maintenant.

— Sur le cheval ?

— Sur quoi d'autre ? répliqua-t-il, non sans avoir envisagé rapidement plusieurs autres hypothèses.

Les joues de Génie se colorèrent légèrement.

— Sur le cheval, bien sûr, je suis bête !

Elle inspecta la selle.

— Je ne suis pas sûre de pouvoir monter là-dessus toute seule.

Exactement ce que Raf avait craint. En bon cavalier, il reconnaissait qu'une débutante a besoin d'un coup de main lorsqu'elle monte pour la première fois sur un cheval.

— Levez la jambe et placez votre pied dans l'étrier, dit-il.

Elle s'exécuta de manière maladroite.

— Très bien. Je suis prête, dit-elle enfin.

Prêt, Raf l'était aussi. Prêt à se détourner et à quitter les lieux avant de la faire descendre de son cheval et de l'emporter dans son lit. Au lieu de cela, il moula son fessier au creux de sa paume, s'attardant un peu plus longtemps que nécessaire avant de la hisser en selle.

Imogene baissa les yeux vers lui.

— Ce n'était pas si difficile.

Oh si, beaucoup plus qu'elle ne le réalisait !

— Votre corps et vos épaules doivent rester très droits, les coudes sur les côtés.

Il positionna ses mains sur les rênes.

— Tenez-les légèrement.

Il plaça une main sur le bas du dos d'Imogene et l'autre sur son ventre, juste au-dessus de la ceinture des jodhpurs, imaginant ce qu'il ressentirait si elle pouvait se glisser sous le tissu. Il se contenta d'une légère pression pour la redresser.

— Comme ça, dit-il.

— Bien. Et après ?

— Regardez droit devant vous, maintenez vos jambes et vos genoux les orteils pointés vers l'extérieur, les talons près du corps du cheval.

— Que de choses à se rappeler !

— Bientôt, cela vous paraîtra naturel.

Et quand Raf se tint au milieu de l'enceinte pour contrôler Maurice avec la longe attachée à la bride, il vit combien elle était belle. Concentrée sur le cheval, elle ne vit pas que Raf l'étudiait avec attention. Elle avait des seins ronds et haut placés et il se demanda de quelle couleur étaient ses mamelons. Sans doute rose pâle, se dit-il, ou bien du même ton corail que le soleil couchant. En tout cas, il savait très bien comment ils pèseraient dans sa main, quel goût ils auraient dans sa bouche, sous sa langue. De nouveau, son corps se durcit et il maudit son manque de maîtrise et de bon sens. Au bout de quelques tours, il arrêta Maurice et le ramena au centre de l'enclos.

— Ce sera tout pour le moment, déclara-t-il.

Les traits de Génie manifestèrent clairement son déplaisir.

— Déjà ?

— Oui. Nous reprendrons après le déjeuner. Vous pouvez descendre.

— Cela vous ennuierait-il de m'aider ?

— Je vous crois capable de le faire toute seule, répondit-il.

En réalité, il n'osait pas.

Génie se pencha et regarda le sol.

— C'est très haut.

— Passez votre jambe par-dessus la selle et descendez.

— Montrez-moi.

— Je vous sens très capable de vous débrouiller toute seule.

— Peut-être, mais pour la première fois, je pourrais avoir besoin d'aide.

Guidé par le besoin de la sentir contre lui, Raf rejeta la longe et tira Imogene hors de la selle. Il la fit lentement glisser le long de son corps, chaque point qu'elle touchait créant aussitôt des points de chaleur sur sa peau. Il la tenait serrée entre ses bras, les seins plaqués contre son torse, les cuisses collées aux siennes, le ventre en contact avec son érection. Si elle ne savait pas auparavant l'effet qu'elle lui faisait, elle devait sans aucun doute être désormais au courant.

Elle le remercia, les yeux plantés dans les siens. Son regard était aussi ferme que son corps contre celui de Raf.

Comme il serait facile de prendre sa bouche, pensa-t-il. Facile de connaître son goût quand il l'embrasserait. Il lui suffisait de baisser un peu la tête pour le savoir…

Quelqu'un siffla derrière eux. Raf la lâcha brusquement et fit un pas en arrière.

— Je vais confier Maurice à l'un des palefreniers. Il va le doucher. Vous pouvez regagner la maison. Doris a préparé le déjeuner.

— Je pourrai le doucher, moi aussi ?

Raf faillit lui demander d'en faire autant avec lui.

— Peut-être plus tard, dit-il.

— D'accord, mais la leçon m'a paru très courte. Je ne suis pas certaine d'en avoir eu pour mon argent, aujourd'hui.

— Aussi longtemps que vous pratiquerez la patience, vous en serez récompensée en temps utile.

— Oh, s'agit-il d'une partie de la méthode tout en douceur du cheikh Shakir ?

— Oui.

— Alors, je suis d'accord, dit-elle avec un éclatant sourire. Pour le moment…

— Vous ne le regretterez pas.

Elle braqua un regard direct vers sa braguette, indiquant par là que la fâcheuse situation dans laquelle il se trouvait ne lui avait pas échappé.

— Je suppose que cela reste à voir, dit-elle.

Puis Génie pivota sur ses talons de bottes et se dirigea en vacillant vers la maison, laissant Raf seul et livré à un désir encore plus éhonté.

Il ferait en sorte qu'elle n'éprouve aucun regret, se promit-il. Il ferait bien lui aussi de se souvenir de sa propre décision de prendre son temps. Il posséderait Imogene quand elle accepterait de son plein gré de venir dans son lit, et seulement quand le moment serait venu.

Après tout, il avait bien attendu cette opportunité pendant deux longues années. Il pouvait bien encore attendre quelques jours de plus.

3.

— Merci pour le déjeuner, Doris, lança Imogene en quittant la table où elle avait mangé seule.

Bien sûr, Doris avait plusieurs fois fait son apparition dans la petite salle à manger pour s'occuper de la jeune femme, mais qualifier sa présence de bonne compagnie était autre chose, d'autant plus qu'elle avait lâché quelques solides jurons quand le potage au poulet avait débordé de la soupière.

Déjeuner en compagnie de Raf aurait été tellement plus agréable, songea Imogene. Après la leçon, il avait disparu sans lui dire quand auraient lieu les prochains exercices.

Doris émergea de la cuisine en s'essuyant les mains sur un torchon. Immédiatement, elle remarqua le bol de soupe à demi délaissé.

— Vous ne l'avez pas aimée, mon chou ? Elle était trop épicée ?

— C'était excellent, mais je ne voulais pas trop manger à cause de ma prochaine leçon cet après-midi.

Elle fit un signe du pouce derrière son épaule.

— Je suppose que je devrais aller voir si le cheikh Shakir est prêt.

Doris se fendit d'un large sourire.

— Oh, pour ça, j'en suis sûre !

Puis son sourire se transforma en froncement de sourcils.

— Mais vous, vous ne l'êtes pas. Si vous ne mettez pas quelque chose sur votre peau, vous allez vous couvrir de cloques.

— J'ai déjà mis de l'écran solaire.

— Vous êtes certaine d'en avoir passé assez ? Je détesterais être obligée de vous bassiner au vinaigre pour calmer vos brûlures. Mon patron n'en apprécie pas l'odeur.

Imogene fit un gros effort pour se dire qu'elle n'avait cure de ce que le cheikh sentirait sur elle, mais en réalité, elle savait qu'elle se mentirait à elle-même.

— Je ferai en sorte de m'enduire suffisamment pour empêcher ça, affirma-t-elle.

Comme elle quittait la cuisine par la porte de derrière, Doris lui lança :

— N'oubliez pas d'en remettre si vous transpirez et aussi après votre leçon.

Son rire suivit Imogene jusque dans l'allée menant aux écuries. Pourquoi la gouvernante persistait-elle à interpréter faussement ses intentions à propos de Raf ?

Ce n'était pas comme si elle avait écrit sur le front « je le désire », quand même !

A partir de maintenant, décida-t-elle, elle prendrait un soin extrême chaque fois qu'elle parlerait de lui. En fait, le mieux était d'éviter tout commentaire devant Doris. A condition de parvenir à empêcher la gouvernante de parler de son patron !

Imogene pénétra dans l'écurie. Elle était vide, à l'exception de plusieurs chevaux dans leur box. Des bêtes nerveuses qui renâclaient, sans doute des étalons. Elle garda ses distances en se dirigeant vers la stalle de Maurice. Elle était vide, elle aussi. Sans doute, supposa-t-elle, Raf avait-il déjà préparé le cheval pour la leçon ? Quittant l'écurie, elle se dirigea vers l'enclos. Elle ne s'était pas trompée. Mais Maurice, attaché à la barrière, n'était pas sellé.

Raf Shakir lui tenait compagnie, monté sur un étalon superbe, harnaché d'une selle western qui avait vu de meilleurs jours.

Ni djellaba ni couronne d'or au front de ce prince pour indiquer qu'il était de naissance royale. Il ne portait qu'une paire de bottes râpées et le même jean délavé — et pas de chemise.

Il aurait pu être n'importe quel banal cow-boy sur une piste de l'Ouest, à ceci près qu'il était beau à couper le souffle, se dit Imogene, et qu'il n'avait rien de banal. La brise rejetait en arrière ses cheveux aile de corbeau, et l'homme et sa monture au pelage également noir et brillant galopaient en parfaite harmonie. Muscles bandés, tendons fléchis, ils paraissaient absorbés par l'instant, comme absents du monde alentour. Imogene grimpa sur la barrière du côté nord de l'enclos pour avoir le meilleur point de vue sur la scène remarquable qui se déroulait sous ses yeux. Elle y demeura invisible jusqu'au moment où Raf fit le tour de l'enclos et se dirigea vers elle. En atteignant son poste d'observation, il arrêta son étalon et ses yeux d'un gris très sombre qui contrastaient avec l'éclatant soleil clouèrent Imogene sur place. Raf était essoufflé et sa respiration courte soulevait et abaissait son torse luisant de sueur. La robe de son cheval et sa respiration montraient les mêmes signes de fatigue.

— Vous êtes un magnifique cavalier, s'exclama Imogene.

Raf garda un silence obstiné qui la déconcerta. Le voir ainsi à demi dévêtu, comme la veille dans l'écurie, la troublait. Elle fit un effort pour s'empêcher de contempler chacun des points qui faisaient de lui un incontestable mâle — sa poitrine qui se soulevait, la puissance de ses épaules, les lignes plates de son abdomen et la mince toison qui allait se perdre sous la ceinture de son jean.

Sans détacher les yeux du visage d'Imogene, Raf dégagea ses pieds des étriers et laissa pendre ses longues jambes, puis, penché en avant, il caressa l'encolure du cheval.

— Je vous présente Layl BaHar, dit-il. Cela signifie « Mer noire ». Je l'appelle simplement BaHar. Personne d'autre que moi n'a le droit d'y toucher.

Son intonation possessive fit passer un frisson le long de l'épine dorsale d'Imogene. Elle l'imagina tout à coup prononçant les mêmes mots à son propos.

— Superbe, observa-t-elle, englobant l'homme et la monture dans une même admiration.

— Etes-vous prête ? demanda Raf d'une voix basse, manifestement tendue.

Si elle n'y prenait pas garde, pensa Imogene, elle allait fondre sous la chaleur du soleil et de son regard brûlant.

— Prête pour quoi ? demanda-t-elle.

— A monter.

— A cheval ?

— Pour l'instant, oui, dit-il avec un mince sourire.

— Je serai prête dès que vous le serez.

— Je le suis déjà depuis un moment.

Le sous-entendu était flagrant : il n'était plus question de la leçon. Mais Imogene décida de se reprendre. Elle était venue pour apprendre à monter à cheval, pas pour batifoler, car l'enjeu professionnel qu'elle poursuivait était trop important pour qu'elle l'oublie. Elle aurait trop à perdre. Elle avait pour but de trouver un poste à New York et, pour cela, elle devait encore travailler dur.

Raf sauta avec aisance à bas de sa monture, enroula les rênes au coin de la selle et intima à son cheval un ordre qu'Imogene ne put capter. L'étalon resta sagement sur place sans faire la moindre tentative pour s'écarter, en dehors d'un mouvement occasionnel de la queue.

Comme paralysée elle aussi par le magnétisme de Raf Shakir, Imogene ne broncha pas non plus lorsque, passant à côté d'elle, il sortit de l'enclos pour aller chercher Maurice.

— Je vais vous le tenir pendant que vous le monterez, dit-il à son retour.

La bouche d'Imogene s'ouvrit toute grande.

— Mais… où est la selle ?

— Cet après-midi, vous monterez à cru.

— Impossible ! Si je ne peux pas me tenir au pommeau, je perdrai l'équilibre.

— Au contraire, vous apprendrez ainsi à mieux vous tenir.

— Je ne pense pas que ce soit une très bonne idée.

Il contourna Maurice et se posta à côté de lui.

— Je vous suivrai et veillerai à ce que vous ne tombiez pas.

Imogene fronça les sourcils. Elle hésitait encore à refuser, mais elle ne voulait pas que Raf la prenne pour une vraie poltronne.

— Je ne suis pas certaine que ce soit nécessaire, objecta-t-elle.

— Vous étiez d'accord hier pour vous conformer à mes instructions, dit-il, une trace d'impatience dans la voix.

Imogene gratta le museau du cheval d'un air distrait et pencha la tête pour fixer Raf.

— Je suis prête à suivre vos instructions à condition qu'elles ne risquent pas de me tuer.

Cette fois, il lui lança un coup d'œil perçant, dont l'intensité effraya presque Imogene.

— Il ne vous arrivera aucun mal si vous faites exactement ce que je vous dis. Est-ce bien compris ?

Imogene claqua les talons et esquissa un salut militaire.

— Oui, monsieur. Je m'excuse d'avoir été impertinente, monsieur.

Raf frotta ses mains d'un geste nerveux sur ses cuisses fermes. Son geste attira l'attention immédiate d'Imogene et elle dut s'obliger à ne regarder que la partie supérieure de son corps tandis qu'il amenait BaHar près de Maurice. Maurice hennit et essaya de mordiller l'étalon comme s'il en voulait à l'autre d'être l'objet de plus d'attention que lui. BaHar l'ignora et resta aussi immobile qu'une statue.

— Venez ici, ordonna Raf.

Comme Imogene hésitait, sans savoir s'il s'adressait bien à elle, Raf s'approcha d'elle par-derrière et lui dit d'une voix profonde qui la grisa :

— Prenez les rênes. Je vais vous aider à monter.

Quand elle eut obtempéré, il l'attrapa sous les fesses et la hissa sur le dos de Maurice. Sans les étriers sous les pieds, et avec le seul contact du dos osseux du cheval entre ses jambes, Imogene se sentit désemparée. Elle le fut plus encore quand, baissant les yeux vers Raf, elle le vit fixer ses seins. Sous l'intensité du regard gris d'orage, ses mamelons se durcirent à l'abri du soutien-gorge de sport, mais le tissu n'était pas assez épais pour dissimuler l'évidence.

Le soleil mordait ses épaules nues et elle se rappela soudain qu'elle avait oublié les recommandations de Doris d'appliquer de la crème solaire. Mais un coup de soleil était le cadet de ses soucis pour l'instant. Toute son attention se concentrait sur Raf.

— Tout d'abord, dit-il, en la regardant en face, vous allez exécuter un tour de piste toute seule pendant que je vous surveillerai.

En s'emparant des rênes, Imogene s'efforça de surmonter son sentiment de panique.

— Seule ? balbutia-t-elle.

— Je serai là tout près. Faites avancer Maurice en appuyant sur vos jambes, dit-il. Lentement.

Imogene obéit et, après quelques efforts, Maurice fit trois pas puis s'arrêta net. La jeune femme fut projetée en avant et s'agrippa à l'encolure du cheval. Elle piqua du nez dans sa crinière et éternua. Une fois redressée, elle découvrit que Raf était toujours là. Au moment où elle penchait dangereusement d'un côté, ses mains lui encerclèrent la taille.

— Ça ne marchera pas, dit-elle. J'ai l'impression d'être sur une pente savonneuse et non sur un cheval.

Il étudia ses traits un long moment, mais Imogene ne perçut sur son visage qu'attention et réflexion au lieu de colère et condamnation.

— J'ai une meilleure idée, lui déclara-t-il en l'aidant à descendre de sa monture.

C'est aussi ce que pensa Imogene lorsqu'elle se retrouva face à son torse nu.

— A quoi pensez-vous ? murmura-t-elle en luttant pour ne pas goûter sa peau du bout de la langue.

Sans plus d'explication, Raf s'écarta d'elle, ôta la selle du dos de BaHar, la jeta sur la barrière comme s'il s'agissait d'un chiffon, puis sauta sur l'étalon sans le moindre effort. D'un bref coup de sifflet, il héla un homme qui sortait d'une des écuries.

— Blaylock, dit-il, ramenez Maurice dans sa stalle. Nous n'avons plus besoin de lui aujourd'hui.

L'homme aux cheveux argentés fit sortir Maurice de l'enclos. Le palefrenier garda les yeux baissés comme s'il dérangeait un moment d'intimité.

Si seulement il avait raison ! songea Imogene, les yeux fixés sur Raf, fièrement perché sur BaHar tel un prince du désert.

— Approchez-vous, dit-il de cette voix qui faisait flageoler ses jambes et déclenchait en elle une vague de pur désir.

D'un pas vacillant, Imogene obtempéra. Alors Raf se pencha et la souleva comme une plume, tandis qu'elle restait muette, stupéfaite. Il la plaça devant lui et d'un bras lui entoura la taille. Le dos contre sa poitrine, elle sentit avec intensité le contact de ses cuisses, son odeur de santal et sa chaleur enveloppante.

— Mais que faites-vous ? balbutia-t-elle quand elle eut repris ses esprits.

— Nous allons monter en tandem sur BaHar.

— Vous aviez pourtant dit que personne à part vous n'avait le droit d'y toucher.

— Pour vous, je ferai une exception, dit-il en glissant les mains sous ses bras nus. Prenez les rênes entre vos mains et essayez de vous détendre. Si vous êtes nerveuse, il s'en rendra compte.

— Mais je *suis* nerveuse…

Le souffle chaud de Raf lui chatouilla l'oreille.

— Vous n'avez aucune raison de l'être. Je suis là pour vous protéger. Pour vous apprendre.

Imogene fit ce qu'il lui demandait et saisit les rênes.

— Est-ce bien ainsi ?

— Oui. Maintenant, serrez bien vos jambes.

Impossible ! Elle avait les muscles en coton. Raf inséra une main sous sa cuisse gauche.

— Encore. Serrez plus fort.

Le cœur de la jeune femme se mit à battre à grands coups dans sa poitrine. Elle s'imagina en train de lui murmurer les mêmes mots en faisant l'amour avec lui. Elle s'efforça d'oublier la main de Raf sur sa cuisse et de se concentrer sur ses directives en serrant les jambes contre les flancs de BaHar. De nouveau, la même sensation de chaleur les environna.

— C'est mieux, approuva Raf. Donnez-lui un léger coup de talon pour lui faire comprendre qu'il doit avancer.

Sans hésiter, le cheval obéit à l'ordre silencieux et fit quelques pas en avant, puis prit un rythme régulier comme s'il s'apprêtait à trotter.

— Parlez-lui, murmura Raf. Cela le fera ralentir.

— Que dois-je lui dire ?

— Il réagit au mot « doucement ».

Imogene baissa les yeux vers les oreilles du cheval qui remuèrent comme s'il attendait l'ordre.

— Doucement, dit-elle.

— Dites-le avec plus de fermeté.

— Doucement, répéta-t-elle un peu plus fort.

A sa grande surprise, BaHar obéit. Ils firent le tour de l'enclos à une allure détendue, même si Imogene ne l'était pas. Elle avait envie de s'appuyer contre Raf, de fermer les yeux et de savourer le contact de leurs corps. A regret, elle s'efforça de se concentrer de nouveau sur la leçon.

— Et maintenant ? demanda-t-elle.

— Avant d'aborder le reste, nous continuerons ainsi jusqu'à ce que vous soyez à l'aise.

— Arriverai-je un jour à faire autre chose que d'aller au pas ?

— Quand vous serez prête.

La main droite de Raf descendit vers son ventre. Son pouce la frôla et Imogene eut l'impression que son cœur s'arrêtait de battre.

— Relâchez vos hanches et suivez le mouvement du cheval, dit-il.

Imogene suivait plutôt celui de ses doigts sur son ventre.

— D'accord, murmura-t-elle.

— Si vous désirez vous arrêter, tirez un peu sur les rênes. Il a la bouche très sensible.

— La bouche sensible ?

Par-dessus son épaule, Imogene lui jeta un coup d'œil. Leurs deux visages étaient si proches qu'elle pouvait noter chaque détail des lèvres fabuleusement sensuelles de Raf. Elle aurait même pu l'embrasser.

— Vous devriez essayer, dit-il.

Comment ? Il lui en donnait la permission ?

— Croyez-vous ? balbutia-t-elle.

— Vous verrez comme il est facile de l'arrêter.

Bien sûr, il parlait du cheval ! Quelle idiote d'avoir pu imaginer autre chose !

Imogene tira sur les rênes et l'étalon s'arrêta. Elle lui fit signe d'avancer et il obéit encore. Elle recommença la manœuvre et, chaque fois, il obtempéra.

— Il est très bien dressé, observa-t-elle, et bien plus coopératif que Maurice.

— Vous vous débrouillez bien, Génie, murmura Raf. Très bien, même.

Incapable de s'en empêcher, Imogene appuya la tête contre l'épaule de son cavalier.

— Vous trouvez ? dit-elle d'une voix faible, alanguie.

La joue de Raf se posa contre la sienne et ses doigts frôlèrent sa peau sous l'étoffe de son haut.

— Vous apprenez vite.

— Alors pourquoi allons-nous au pas ?

Et pourquoi se mettait-elle à trembler ?

Question, stupide, se dit-elle. Le contact de Raf lui donnait des frissons, l'emplissait de désir, voilà tout.

D'un doigt nonchalant, il suivit le bord de sa ceinture de pantalon. D'avant en arrière sur un rythme qui lui fit perdre la tête.

— Comme je vous l'ai dit, il faut entreprendre les choses en douceur.

— Je vois…

Et en effet, elle voyait. Elle ressentait également et désirait tout ce qu'elle avait laissé à l'écart pendant si longtemps à cause de sa vie professionnelle. Oh, comme elle désirait qu'il continue à la toucher, qu'il apaise cette souffrance qui naissait de son désir pour lui.

Raf continuait à tracer des dessins au hasard sur son estomac. Le bout de son doigt se faufila à l'intérieur de la ceinture, glissa de plus en plus bas. Le souffle d'Imogene se fit plus court quand il se mit à jouer avec le haut de sa fermeture à glissière.

Que faire ? se demanda-t-elle. Mettre fin à son petit jeu avant de le laisser s'aventurer plus loin ? Oui, elle devait tout de suite lui demander ce qu'il était en train de faire, ne pas le laisser continuer. Elle n'en fit rien. Abruptement, Raf retira sa main de sous sa blouse, puis lui retira les rênes. Il arrêta BaHar devant le portillon et sauta à terre. Imogene, toujours perchée sur le cheval, le regarda.

— C'est tout ? demanda-t-elle d'un ton lourd de déception et de frustration.

— C'est tout pour aujourd'hui.

Il la saisit par la taille et la déposa, cette fois, à côté de lui, avant de faire sortir l'étalon de l'enclos, sans un regard en arrière.

Imogene resta clouée sur place. La contrariété lui sortait par tous les pores de la peau, comme la sueur tout à l'heure, sur son dos, lorsque le corps de Raf s'était collé au sien. La contrariété parce qu'elle le désirait avec une force qu'elle n'arrivait pas à contrôler. Et du regret aussi, parce qu'elle aurait voulu que cela ne se termine jamais. Le pire, c'est qu'elle se rendait compte que Raf savait avec exactitude ce qu'il lui faisait et ce qu'elle désirait qu'il lui fasse. Mais il paraissait décidé, lui, à contrôler ses émotions et à la séduire uniquement sur le plan sensuel.

Et bon sang, ça marchait !

Elle hâta le pas et le rattrapa à l'intérieur de l'écurie. Il venait de confier l'étalon à l'homme appelé Blaylock et lui donnait des ordres. Sans mot dire, l'homme s'éloigna rapidement avec le cheval. A l'évidence, chacun ici obéissait aux moindres désirs du cheikh Shakir. Et Imogene songea que, si elle n'y prenait pas garde, elle en ferait bientôt autant. Elle s'appuya contre la cloison du box pendant que Raf enfilait son T-shirt laissé sur un chariot destiné à l'entretien des chevaux.

— Ne pensez-vous pas que je mérite une récompense pour m'être montrée si bonne élève ? demanda-t-elle.

Il se tourna vers elle avec un sourire qui la fit fondre.

— J'ai justement quelque chose à vous montrer, dit-il.

— De quoi s'agit-il ?

Il hocha la tête en direction des marches qui conduisaient à l'appartement.

— Venez avec moi.

Elle se retrouva derrière lui, à suivre du regard chaque détail de ce corps splendide. Raf ouvrit la porte et s'effaça devant elle, puis referma à clé derrière lui. Imogene se frictionna les bras là où elle ressentait un léger picotement. Mais elle n'attacha aucune attention à un possible début de coup de soleil. Elle était bien trop occupée à découvrir ce que Raf avait en tête.

Il ouvrit la porte vitrée donnant sur le bureau.

— Je voudrais discuter avec vous d'une affaire pour laquelle j'aimerais avoir votre avis comme conseillère en placements, dit-il.

Ah ? Il désirait parler affaires ? Parfait. Après tout, elle était là, elle aussi, pour cela. Pourtant, tout en se détestant pour son subit manque de logique, un sentiment de déception envahit Imogene. Elle hésita un instant avant de pénétrer dans la pièce et de s'asseoir face au bureau derrière lequel Raf s'était installé. Il ouvrit un dossier et le fit glisser vers elle.

— Voici la liste des parties intéressées par l'achat de parts de marché sur BaHar. Elles devront partager les bénéfices des revenus de son entraînement. Elles devront aussi partager les frais et auront droit à deux saillies gratuites par an, à condition que ce soit avec des juments de haut lignage.

Imogene parcourut la liste de ce qui lui parut un véritable Who's who de la bonne société de Géorgie.

— Je connais le nom de deux ou trois de ces personnes, dit-elle. Toutes très fortunées. Combien devront-elles investir ?

— Chaque part leur coûtera trente mille dollars. J'ai l'intention de n'en vendre que vingt.

— Cela vaut donc si cher ?

— Et plus encore. Je garderai des parts pour moi, bien entendu.

— Cela me paraît raisonnable, mais je n'ai jamais traité ce genre d'affaires auparavant. Vous devriez peut-être demander à quelqu'un habitué à ce genre de chose.

— Je me fie à votre jugement. Je serais prêt à laisser votre établissement bancaire gérer les détails ainsi que les fonds.

Quelle aubaine ! se dit Imogene. Sid, son patron, allait être fou de joie.

Levant les yeux du dossier, elle croisa le regard impassible de Raf.

— Très bien, dit-elle. Nous pourrons discuter des modalités pendant mon séjour ici. Si vous n'êtes pas trop pressé, je pourrai mettre tout en place pour le mois prochain quand mes leçons seront terminées et que je reprendrai mon travail.

Les mains posées à plat sur la surface du bureau, Raf se pencha en avant. Sa chemise ouverte laissait entrevoir son torse et son ventre plat.

— Comme je vous l'ai indiqué, je suis rarement pressé. Certaines questions doivent être traitées pas à pas.

— Vous faites allusion aux affaires et aux leçons d'équitation, je pense ?

Les yeux de Raf parurent virer au noir et le pouls d'Imogene se mit à battre plus vite.

— Certains autres sujets doivent également être longuement savourés.

Un léger frisson parcourut son interlocutrice.

— Lesquels ?

— Ils n'ont rien à voir avec les affaires.

A son tour, dans un mouvement irréfléchi, Imogene se pencha au-dessus du bureau. Leurs mains se touchaient presque. Leurs visages n'étaient qu'à quelques centimètres l'un de l'autre.

— Je pourrais vous trouver quelques exemples pour me faire mieux comprendre, dit-il.

— Vraiment ?

— Tout à fait.

Sa main lui encercla soudain la nuque et il attira la tête d'Imogene plus près de lui. Ses lèvres lui frôlèrent le front.

— Ceci, par exemple.

Il déposa un petit baiser sur sa joue.

— Ceci.

Il l'embrassa au coin des lèvres.

— Et cela.

C'était déjà un début, se dit Imogene. Et même un très joli début. Mais Raf n'en avait pas terminé avec elle, loin de là. Cette fois, il inclina la tête et l'embrassa sur la bouche. Sa langue s'insinua entre les lèvres écartées et la lutina en douceur, à petits coups. Une puissante sensation de chaleur naquit entre les seins d'Imogene et descendit jusqu'à ses genoux, après une halte où elle prit toute sa force au plus secret de son intimité. Une dévorante envie de nouer les bras autour du cou de Raf et de se presser contre lui s'empara d'elle.

Ah ! Laisser courir la paume de sa main sur le torse de Raf, palper ses muscles sous la moiteur de la peau. Et d'abord se débarrasser de ce diable de bureau ! Raf augmenta la pression de sa bouche sur ses lèvres et approfondit son baiser, juste un peu. Cela suffit à Imogene pour envisager de grimper sur le bureau et de se jeter sur lui. Elle n'en eut pas le temps : Raf mit fin au baiser et se redressa.

— Doris servira le dîner à 19 heures, dit-il d'un ton formel, comme si rien ne s'était passé. Je vous suggère de ne pas être en retard, sinon vous risquez de ne pas être servie !

Le dîner ? Imogene se recula et ajusta son haut, un geste davantage dicté par la nervosité que par le besoin.

— Alors, c'est ainsi que cela se passe ? dit-elle.

— Oui, car j'ignore jusqu'à ce que je sois assis à table si elle servira le repas.

— Je ne faisais pas allusion au dîner.

— Je sais.

Raf se détourna, mais Imogene eut le temps de le voir sourire.

Que le diable l'emporte, songea-t-elle, furieuse.

— Ainsi, vous avez l'intention de quitter cette pièce comme si rien ne s'était passé entre nous ?

Les doigts sur la poignée de la porte, il se retourna et la dévisagea.

— Que croyez-vous qu'il soit arrivé entre nous, Génie ?

— Vous m'avez embrassée et il ne s'agissait pas d'un petit baiser de rien du tout, dois-je ajouter !

— Oui, et je suis certain que ce ne sera pas la dernière fois.

— Vous semblez en être joliment persuadé !

— En effet. Et vous savez vous aussi que cela se reproduira.

Quelle outrecuidance ! ragea-t-elle.

— Et si je ne le veux pas ?

Raf plissa les yeux et un sourire suffisant lui retroussa le coin des lèvres.

— Vous n'aurez pas le choix.

Et phallocrate avec ça ! se dit Imogene, abasourdie.

— Je n'aurai pas le choix ? répéta-t-elle. Ne croyez-vous pas que votre attitude date un peu ? Nous sommes au XXIe siècle, je vous le rappelle. Je suis libre de mes choix et de ma façon de les satisfaire.

Elle s'interrompit, le temps de reprendre son souffle.

— En fait, je suis totalement en phase avec ma sexualité. Je sais très bien ce que je désire d'un homme, comment et à quel moment.

Raf la fit taire d'un nouveau baiser. Le contact de ses lèvres lui donna l'impression que son corps se dissolvait contre le sien, allait à la rencontre de sa chaleur, de sa ferme vigueur. D'une poussée sur ses fesses, Raf l'attira encore plus près de lui. Leurs bassins se heurtèrent, se pressèrent l'un contre l'autre et Imogene sentit le contact dur de son sexe en érection. La bouche du cheikh Raf Shakir était aussi grisante que le meilleur champagne et son baiser lui monta à la tête. Elle aurait vacillé s'il ne l'avait pas solidement maintenue. Mais trop vite, bien trop vite, il la relâcha.

Imogene écarta ses cheveux de son visage et les coinça derrière ses oreilles.

— Je suppose que vous avez voulu prouver votre point de vue ?

— En réalité, j'en suis arrivé à la conclusion que le seul moyen de vous faire taire était d'occuper votre bouche.

— Vous vous imaginez que cela suffira à me décourager de dire ce que je pense ?

— Non, mais je continuerai à vous intimer le silence chaque fois que l'occasion s'en présentera.

D'un geste déterminé, Imogene fit glisser le bout de son doigt le long du sternum de Raf jusqu'au nombril, sentant au passage ses muscles se contracter.

— Je suis persuadée, déclara-t-elle, que le cheikh n'est pas aussi maître de lui qu'il le prétend.

Raf s'empara de sa main, l'éleva vers sa bouche et y déposa un baiser. Puis sa langue remonta le long de son poignet.

— Je peux fort bien me maîtriser, Génie, quand je désire moi aussi très fort quelque chose.

— Mais… que désirez-vous au juste, Raf ?

— Vous.

Ce mot, ce seul mot, suffit à lui couper le souffle et son cœur se mit à battre la chamade.

— Oh ! Et vous croyez que vous allez m'avoir, n'est-ce pas ?

— Oui. J'en suis certain. Mais nous irons lentement.

— Lentement ? répéta-t-elle, alors qu'elle désirait tout le contraire.

— En effet, et je peux vous l'assurer, cela en vaudra la peine. Pour vous comme pour moi.

Raf quitta la pièce, laissant Imogene s'affaisser dans un fauteuil en exhalant un soupir. Ainsi, il avait l'intention de la faire attendre ? Combien de temps ? Etait-il sage de prendre ce risque ? Et si oui, cela en vaudrait-il vraiment la peine ?

En réalité, elle n'avait aucun doute à ce sujet. Aussi longtemps qu'elle garderait à la mémoire qu'ils étaient deux personnes très différentes se livrant juste à une petite expérience de chimie, tout irait bien.

Encore fallait-il qu'elle en soit persuadée ! Penser à une *petite* expérience, alors qu'elle était littéralement sur le point d'exploser chaque fois qu'il posait les yeux sur elle ?

Peut-être, mais elle avait une vie professionnelle et, pour l'instant, elle ne pouvait se permettre aucune relation sérieuse avec un homme — fût-il aussi splendide. S'ils devaient se mettre à explorer leur mutuelle attirance, Imogene devrait exercer sur ses réactions une maîtrise parfaite.

Raf était très dubitatif quant à sa propre capacité à se contrôler. La veille, dans l'appartement, Imogene Danforth avait produit sur lui un effet qu'aucune autre femme n'était parvenue à lui faire ressentir depuis des années. Aujourd'hui, pendant la leçon, elle l'avait distrait à plusieurs reprises. Maintenant encore, alors qu'elle se livrait à une occupation aussi banale que de se servir de l'eau en attendant le dîner, il lui était impossible de l'ignorer.

A plusieurs reprises dans la journée, il avait eu très envie de l'entraîner dans sa chambre, mais il avait fait en sorte de se retenir. En cet instant même, si les circonstances étaient différentes et qu'ils se retrouvaient seuls sans risque d'être dérangés, il serait fort heureux de la tirer hors de sa chaise et d'aller lui faire l'amour sous la véranda à la clarté des étoiles.

— Voilà le dîner, annonça Doris en posant une assiette devant Raf et un grand plat fumant devant Imogene.

Celle-ci ouvrit des yeux émerveillés comme si Doris lui avait donné un trésor.

— Des crevettes ! s'exclama-t-elle. Comment saviez-vous que c'était mon plat préféré ?

Doris lui tapota le dos.

— Mon petit, les jeunes filles de bonne famille de Géorgie savent apprécier les bonnes recettes sudistes.

Elle adressa à Raf un coup d'œil plein d'acrimonie.

— Certains expatriés, non.

Raf hocha la tête.

— J'apprécie votre façon de vous adapter à mes goûts discutables, Doris.

Sans daigner lui accorder un regard, cette dernière s'adressa directement à Imogene.

— Il est difficile. Il aime le poulet et ce ragoût que je lui fais tout le temps. Toujours le même, jour après jour. Je n'arrive même pas à le faire goûter au pain au maïs. Vous pouvez imaginer ça ?

Imogene posa la main sur son cœur, feignant l'indignation.

— C'est une véritable honte ! Qui n'aime pas le pain de maïs, on se le demande ?

— Moi, déclara Raf en s'évertuant à découper sa volaille desséchée.

Doris passa à côté de lui et lui donna une petite tape dans le dos.

— Bon appétit à tous les deux. Je vous ai laissé un tas de serviettes en papier, mademoiselle Danforth, car, comme vous le savez certainement, ce genre de plat se mange avec les doigts.

— Je le ferai, vous pouvez en être sûre, répondit Génie.

— Voilà une jeune femme comme je les aime, Raf ! s'exclama Doris avec un petit rire. Vous avez de la chance de l'avoir ici.

Raf n'était pas toujours d'accord avec sa gouvernante, mais ce soir, il ne pouvait qu'acquiescer et il aurait bien aimé l'envoyer au diable afin de rester seul avec Génie.

— Doris travaille dur, lui confia-t-il, même si je me pose des questions sur sa cuisine.

— J'ai entendu, lança la voix de Doris depuis la cuisine.

— Elle a également l'oreille très fine, marmonna-t-il.

Génie étala une serviette devant sa blouse couleur corail et pêcha une crevette dans le plat.

— Voulez-vous y goûter ? proposa-t-elle.

Il considéra la crevette avec dégoût.

— Franchement, non. Je ne raffole pas des fruits de mer.

Lentement, Génie se mit à débarrasser le crustacé de sa carapace et Raf s'imagina aussitôt en train de la débarrasser de ses vêtements.

— En êtes-vous certain ? reprit-elle. Elles sont délicieuses.

— Je vous crois sur parole, car je n'ai aucune envie d'essayer.

Raf s'efforça de se concentrer sur sa propre assiette et avala une bouchée. Il ne lui trouva aucun goût malgré les nombreuses épices dont Doris avait assaisonné la volaille. Il était beaucoup plus intéressé par le spectacle d'Imogene qui trempait une crevette dans la sauce au beurre, en croquait un morceau et léchait le beurre resté sur sa lèvre inférieure.

Il aurait bien aimé en faire autant, se dit-il. Bien sûr, c'était possible, mais il n'osa s'y risquer. Doris devait sans doute rôder pas très loin et attendre de voir s'il ne faisait pas quelque chose qu'il n'aurait pas dû.

— C'est délicieux, s'enthousiasma Génie.

— Je suis heureux de voir que vous vous régalez, répondit-il en espérant secrètement lui montrer qu'il pourrait la combler davantage s'ils faisaient enfin l'amour. Il se concentra donc sur sa nourriture non sans lui adresser de temps à autre un petit coup d'œil. Et chaque fois qu'elle se léchait les lèvres ou les doigts, il sentait un spasme de désir envahir son bas-ventre.

— Vous avez bien dormi la nuit dernière ? demanda-t-il au bout d'un instant.

— Parfaitement. Le lit est très confortable. J'étais si fatiguée qu'un train traversant ma chambre ne m'aurait pas réveillée.

— Je suis heureux de l'apprendre.

Imogene se tapota les lèvres avec sa serviette.

— J'ai eu un peu chaud, cependant. J'ai fini empêtrée dans un drap, et le reste de la literie par terre.

Raf l'imagina et, à son tour, une chaleur l'envahit.

— Si vous avez besoin de régler la température, dit-il, le thermostat est dans le couloir.

— Merci de me l'indiquer, sans quoi, j'aurais pu finir par dormir nue.

S'il ne s'éclipsait pas tout de suite, s'affola Raf, il était en grand danger d'oublier sa décision de procéder avec lenteur. Il repoussa sa chaise et se leva.

— Je vais me coucher. Bonne nuit.

Génie le fixa.

— Je pensais que nous pourrions prendre le temps de parler de vos idées.

Raf songea que, s'il restait un instant de plus avec elle, la discussion ne risquait pas d'avoir lieu.

— Vous devriez vous reposer, dit-il. Je vous attendrai aux écuries demain matin à 8 heures précises.

— Très bien. J'y serai.

— Et il faudra que vous portiez des manches longues.

— Il fait bien trop chaud pour ça !

— Votre peau a rougi. Bien plus qu'hier.

Elle tendit les bras devant elle.

— Ce n'est qu'un petit coup de soleil. Dans quelques jours, ce sera bronzé. C'est toujours comme ça chez moi.

Elle leva les yeux vers lui.

— Tout le monde n'a pas une peau aussi résistante que vous.

Elle avait vraiment les plus beaux yeux qu'il ait jamais vus, songea Raf. Et le corps le plus tentateur. Il ferait bien de la quitter avant d'en être incapable.

— Je vous conseille malgré tout de vous habiller de manière appropriée. Si vous souffrez, cela nuira à votre concentration.

Imogene posa sa joue au creux de sa paume.

— Si je souffre, je vous le dirai. Comme ça, vous serez plus attentionné avec moi.

— Je peux vous assurer que je serai toujours attentionné avec vous.

— Votre offre tient-elle toujours ?

— Quelle offre ?

— Vous savez, celle de vous appeler par l'Interphone si j'ai besoin de quelque chose.

Il n'avait pas oublié. Et, dans une telle éventualité, il savait qu'il serait incapable de lui résister.

— En cas d'urgence, bien sûr, je serai à votre disposition.

— Qu'appelez-vous une urgence ?

— Je vous laisse le soin de la définir.

Et, avant de manquer de sang-froid, Raf tourna les talons et regagna sa chambre. Une fois seul, il prit une douche froide. Il devait absolument recouvrer la maîtrise de son corps et de son esprit. Mais tous ses efforts s'avérèrent inutiles.

Une fois au lit, totalement nu, il ressentit l'impression d'être revenu dans le désert qui entourait Amythra, son pays natal. Il avait la bouche sèche et son corps était baigné de sueur. En outre, il était excité comme il ne l'avait pas été depuis longtemps. Un bras sur les yeux, son autre main descendit le long de son torse et s'arrêta juste au-dessous de son nombril. Il songea au douloureux désir que créait en lui la présence de Génie et qu'il ne pouvait assouvir.

Mais il devait être patient et, dès que Génie serait prête, il répondrait au désir qui le consumait. Et seulement au désir. Car il n'était pas question d'envisager une relation autre que physique ainsi qu'il l'avait déclaré à son jeune frère Darin. Ce dernier, qui était bien décidé à ne jamais plus se marier après la perte de sa fiancée, avait passé plusieurs années à sillonner le monde comme militaire de carrière.

Mais Raf souhaitait que son frère retrouve le bonheur et, dans l'espoir de l'engager à suivre son exemple, Raf avait fait mine de chercher une autre épouse. Son stratagème avait réussi : deux mois auparavant, Darin avait épousé une jeune femme rencontrée au cours d'une mission. Raf ne se croyait pas capable de suivre son exemple. Toutefois, il avait envie de rencontrer une femme qui accepte de partager son lit et qui y trouve autant de plaisir que lui.

Imogene Danforth pouvait être cette femme. Elle ne lui apporterait probablement aucune complication et ne nourrirait pas d'attentes excessives de sa part. Seul comptait pour elle son objectif d'être la meilleure dans son métier.

Et cela convenait très bien à Raf. Il avait choisi cette existence solitaire pour de très bonnes raisons qu'il n'avait aucune intention de lui révéler.

Il lui suffisait juste de rester patient et d'entreprendre, petit à petit, la conquête de Génie Danforth.

4.

— Rappelez-moi, Danforth. C'est urgent.

Après avoir écouté le message de son employeur, Imogene jeta le portable sur son lit et se laissa choir sur les couvertures. Pour Sid Carver, un cappuccino froid constituait une urgence, songeait-elle. Il était plus que probable qu'il ne parvenait pas à mettre la main sur le dossier d'un client et avait besoin d'elle pour le retrouver. Elle avait une bonne envie de ne pas le rappeler !

Elle jeta un coup d'œil à la pendulette dorée posée sur le manteau de marbre noir de la cheminée. 23 heures. Elle appellerait Sid demain matin.

Ou mieux, elle attendrait qu'il la rappelle. Cela impliquait qu'elle emporte le téléphone pendant sa leçon d'équitation. Elle eut la vague impression que cela ne plairait guère au cheikh Shakir. Bah ! Elle n'aurait qu'à dissimuler le portable et le mettre en mode vibreur.

En attendant, Imogene avait un autre appel à passer et celui-ci était nettement plus important à ses yeux. Elle s'était installée au haras depuis deux jours et elle n'avait pas mis ses parents au courant de ses mouvements. Il était prévu qu'elle se joigne à eux, comme chaque dimanche, pour le traditionnel dîner de famille, mais hier, elle avait tout oublié. Elle se devait de leur téléphoner. A cette heure-ci, ses parents ne devaient pas encore être couchés.

Imogene reprit donc son portable et forma le numéro privé de ses parents. Deux sonneries plus tard, sa mère répondit :

— Allô ?

— Bonsoir, maman, c'est moi.

— Imogene, où es-tu donc ? Quand tu n'es pas venue dîner et que tu n'as pas appelé, je me suis inquiétée.

— Je suis désolée. Je n'ai pas eu le temps.

— Tu travailles bien trop ! dit sa mère d'une voix lasse.

— Maman, tu parais éreintée, tu es sûre que tout va bien ?

Sa mère s'éclaircit la gorge.

— En fait, nous venons de rentrer d'une tournée afin de recueillir des fonds pour la campagne d'Abraham.

— Ça s'est bien passé ?

— Très bien. A notre heureuse surprise, la nouvelle à propos de ton cousin Marcus n'a pas empêché les gens de soutenir la campagne de ton oncle.

— De quelle nouvelle parles-tu ? demanda Imogene, intriguée.

— Tu n'es pas au courant ? La police l'a interpellé aujourd'hui pour l'interroger. Ils pensent qu'il a quelque chose à voir avec l'explosion au siège des dockers de Danforth & Co. Ils semblent persuadés qu'il a des liens avec le cartel colombien. Tu imagines ça ?

Imogene l'imaginait très bien. Trop de gens voulaient salir la réputation d'oncle Abraham. Elle n'aurait pas été surprise du tout si John Van Gelder, son adversaire dans la campagne électorale, était derrière toute cette histoire.

— Maman, dit-elle, personne ne peut sûrement croire que Marcus a quelque chose à voir avec ça. Il est le conseiller juridique de Danforth & Co, quand même ! Le commerce du café est toute sa vie. Il ne se risquerait pas à ruiner ce que sa famille a bâti en se compromettant avec des criminels.

— Nous en sommes tous persuadés, chérie. Je prie pour que tout cela soit bientôt éclairci. Abraham a suffisamment de soucis comme ça.

C'était son choix, songea Imogene. Abraham Danforth était un homme bien, mais il avait commis quelques erreurs dont certaines remontaient à la surface à cause de son engagement en politique qui incitait ses adversaires et certains médias à chercher la petite bête pour lui nuire, n'hésitant pas à fouiller dans la vie privée de ses proches.

— Je prierai pour lui, dit-elle. Pour l'instant, je voudrais te dire où je suis pour que tu puisses me joindre en cas de besoin.

— Tu n'es pas à ton bureau ?

— Non. Je me trouve à une trentaine de kilomètres au sud de Savannah, dans un haras.

— Un haras ? répéta Miranda Danforth interdite. Mais que peux-tu bien y faire ?

— Crois-le ou non, j'apprends à monter à cheval.

— Oh, Imogene, fais attention, sois très prudente.

— Tu ne t'inquiétais pas autant quand mon frère apprenait à monter !

— C'était différent. Tobias est…

— Un homme ?

— C'est quelqu'un qui sait… qui sait ce qu'il fait. Je ne veux pas que tu aies un accident, c'est tout. Je ne pourrais pas supporter de perdre…

La voix de sa mère s'étrangla, mais Imogene comprit que Miranda pensait à Victoria, sa plus jeune fille et la sœur d'Imogene qui avait disparu cinq ans auparavant, à l'âge de dix-sept ans, alors qu'elle assistait, avec une amie, à un concert de rock à Atlanta.

Le même vieux remords commença à s'infiltrer dans la conscience d'Imogene qui s'en voulait toujours de ne pas l'avoir accompagnée. Elle soupira pour tâcher d'oublier son malaise.

— Tout ira bien, maman, je t'assure. L'homme qui me donne des leçons s'y prend très doucement.

Trop doucement…

— Ah ! Tu apprends avec un homme ? Est-il séduisant ? célibataire ?

Les deux. Et davantage encore !

— Vient-il d'une bonne famille ?

— En fait, c'est un cheikh.

— Un prince ? C'est merveilleux.

Imogene comprit qu'il était temps de changer de sujet, sinon, sa mère allait entonner son éternel refrain : « A ton âge, ma fille, il serait temps de songer à te caser… »

— L'endroit est magnifique, poursuivit-elle. Et tu adorerais la demeure, surtout les meubles qui s'y trouvent. Il y en a beaucoup d'anciens. La suite où m'a installée Raf est splendide.

— Raf ? Tu l'appelles par son prénom ? N'y aurait-il pas une petite romance entre vous deux ?

Imogene avait trois options : elle pouvait mentir, prétendre qu'elle n'était pas intéressée, ou alors dire la vérité.

— Il n'est pas de l'étoffe dont on fait les maris, maman. Si c'est ce à quoi tu songes…

— Hum…

— Maman !

Ni l'une ni l'autre ne purent se retenir de rire.

— C'est bon de t'entendre rire, Imogene, dit enfin Miranda. Cela ne t'arrive pas assez souvent.

— Mais je ris, maman. Peut-être pas tout le temps, mais je ne suis pas aussi « coincée » que tout le monde le pense.

— Je suis navrée, chérie, mais je crois qu'il est grand temps que tu fasses quelque chose de plus intéressant que de travailler sans arrêt. Je ne peux même pas me rappeler quand tu as pris de vraies vacances. En fait, probablement pas depuis tes dix-sept ans.

Imogene avait déjà entendu tout cela des centaines de fois.

— Je sais, maman, mais c'est mon choix de vie.

— D'accord, mais tu devrais te distraire un peu pour changer, si tu vois ce que je veux dire…

Miranda avait prononcé ces derniers mots en chuchotant presque. A l'évidence, elle ne voulait pas qu'Harold, son mari, puisse l'entendre conseiller à leur fille d'opter pour une vie relâchée.

— L'équitation est une excellente distraction et aussi un défi, et je m'amuse beaucoup, répliqua Imogene.

— Tu dois te distraire un peu plus si l'occasion s'en présente, insista Miranda. Assure-toi seulement de ne pas avoir encore le cœur brisé.

Imogene faillit lui répliquer que son cœur était toujours intact. Wayne ne lui avait causé aucun dommage, en réalité. Ce cher Wayne, qui aimait les femmes dotées des qualités les plus raffinées, avait trouvé qu'elle en manquait fort. Eh bien c'était vrai, elle n'avait rien d'une délicate fleur de magnolia et ne se souciait pas d'y ressembler un jour. Elle s'était toujours préférée dans son ensemble de femme d'affaires plutôt qu'en robe de bal. Donc, leur rupture qui remontait à un an avait été une bonne chose, tous comptes faits.

— Je ferai très attention, maman, promit-elle. Où est papa ?

— Sous la douche où il m'attend, répondit Miranda avec un petit rire.

— Très bien, dit-elle, je ne vais te retenir plus longtemps, alors !

— Je dirai à ton père que tu l'embrasses. Mille baisers, ma chérie.

Imogene raccrocha, avec un pincement d'envie au cœur. Ses parents batifolaient encore à leur âge, plusieurs de ses cousins et son frère Jacob avaient trouvé l'amour au cours des derniers mois… Mais elle ne parvenait pas à sauter le pas avec Raf…

Elle se laissa glisser au bas du lit et se dirigea vers la porte-fenêtre qu'elle ouvrit largement. Elle s'avança sous la véranda et se débarrassa de son déshabillé de soie pour laisser le courant d'air rafraîchir sa peau brûlante en écoutant les hululements mélancoliques d'une chouette. Mais la brise et les rumeurs de la nuit ne parvinrent pas tout à fait à apaiser son coup de soleil et son humeur morose.

Car, si Raf avait dans l'idée de continuer à prendre son temps pour la séduire, elle serait déjà repartie à Savannah avant d'arriver au cœur des choses !

Revenue dans sa chambre, Imogene se dirigea vers la commode et s'empara du flacon de lotion solaire confectionnée par Doris qui la lui avait donnée après le dîner. Elle l'ouvrit et renifla, surprise de ne pas sentir une odeur de vinaigre, mais plutôt légèrement citronnée.

Dieu sait ce qu'il y avait dans la mixture ! se dit-elle. Mais Doris n'avait rien d'une sorcière. Elle devait donc se composer d'éléments naturels et non de langue de vipère ou d'œil de triton ! Après avoir enlevé son déshabillé, elle s'en enduisit les bras. Instantanément, elle se remémora le contact des mains de Raf sur elle pendant la leçon de la veille. Il n'avait pas recommencé, aujourd'hui. Comme ce serait agréable s'il l'enduisait partout de cette lotion !

Pourquoi ne pas lui demander ?

Après tout, sa mère lui avait recommandé de s'amuser un peu, non ? Et sentir les mains de Raf se poser sur son corps, voilà qui serait très, très amusant. Il ne fallait quand même pas décevoir maman…

— Raf, si vous ne dormez pas encore, pourriez-vous venir m'aider, s'il vous plaît ?

Du fauteuil où il s'était assis pour parcourir le dernier magazine sur l'élevage des chevaux, Raf regarda fixement l'Interphone. Sachant que sa frustration allait durer des heures, il avait renoncé à essayer de dormir. Le son de la voix de Génie ne fit qu'empirer la situation. Il se dirigea vers l'Interphone et appuya sur le bouton en se disant qu'il ferait bien de feindre d'avoir été dérangé dans un profond sommeil.

— Oui ?

— Ah ! Vous n'êtes pas couché.

— Si, je le suis. Que désirez-vous ?

— C'est mon coup de soleil. Vous m'avez dit que je pouvais vous contacter en cas d'urgence, et j'ai beaucoup de mal à atteindre mon dos pour appliquer la lotion. Pourriez-vous venir m'aider ?

Caresser son dos ? Oh oui, pas de problème !

Telle fut la pensée qui vint tout de suite à l'esprit de Raf.

— J'arrive dans un instant, dit-il.

Inutile de passer un peignoir. Après tout, Génie l'avait déjà vu torse nu à deux reprises. Raf espéra seulement qu'Imogene aurait gardé le sien. Sinon, face à la perspective du plaisir, il serait en grand danger d'oublier sa décision de patienter. Il gratta à deux reprises à sa porte et, au bout de quelques secondes, Imogene vint lui ouvrir. Elle était habillée certes, mais son court déshabillé de soie ivoire s'ouvrait sur une nuisette assortie qui s'arrêtait en haut des cuisses. Le décolleté très bas dissimulait à peine le renflement de ses seins, mais pas l'ombre des mamelons, très visibles sous l'étoffe. Raf nota aussi que sa peau ainsi que son nez étaient assez rouges, beaucoup plus que pendant le dîner.

— Entrez, dit-elle en ouvrant largement la porte. J'apprécie vraiment votre présence. Je ne m'étais pas rendu compte que ma peau était si exposée…

Elle se déplaça avec grâce vers la table de toilette. Son déshabillé flottait derrière elle. Elle saisit un pot d'une lotion blanche et le montra à Raf.

— Doris prétend que ceci pourrait m'aider. Si vous pouviez juste m'en passer un peu en haut du dos et dans le cou, je suis sûre que je serais comme neuve demain matin.

Elle lui tourna le dos et fit glisser le long de ses bras le déshabillé qui tomba à terre comme une flaque de satin.

Raf déglutit. La courbe de ses fesses était nettement visible et suffisante pour le conduire droit au bord de l'explosion. De nouveau, Imogene lui fit face.

— Où voulez-vous ? demanda-t-elle.

— Je ne suis pas sûr de comprendre la question, dit-il bêtement.

— Où désirez-vous que je me tienne ?

Du doigt, elle désigna le tapis à côté de son lit, face à l'âtre.

— Et si je m'installais ici ?

Peu importait à Raf. Du moment qu'elle ne suggérait pas le lit !

— Oui, là. Le tapis est merveilleux. Depuis la première fois où je l'ai vu, je me suis demandé s'il était aussi doux qu'il en a l'air.

Raf se posait la même question, mais pas à propos du tapis...

— Si cela vous convient, je suppose qu'il fera l'affaire, admit-il.

Génie s'installa par terre, jambes étendues devant elle, face au mur tapissé de glaces. Raf se percha sur le bord du matelas juste derrière elle et prit la lotion qu'elle lui passait par-dessus son épaule. Il en versa un peu au creux de sa main et posa le flacon par terre, à côté d'Imogene. Celle-ci pencha la tête en avant, lui offrant un accès à sa nuque fragile et à ses épaules.

Raf hésita. Il savait que s'il la touchait — et il allait la toucher — il commencerait à perdre son sang-froid.

Sans se retourner, Imogene le regarda par le miroir.

— Quelque chose ne va pas, Raf ? s'enquit-elle d'un ton tranquille, presque taquin comme si elle savait très bien ce qu'elle lui faisait subir.

— J'ai les mains calleuses, objecta-t-il. Je ne voudrais pas irriter votre peau.

— Je sais que vous serez doux.

Oh, si elle savait comme il désirait lui arracher cette maudite chemise et l'emporter au creux du lit ! Là, elle pourrait alors vérifier s'il était vraiment doux. Cependant, il prit un soin extrême à lui enduire les épaules de crème. La sensation de sa peau satinée sous ses doigts lui parut délicieuse. Il avait presque oublié la texture d'une peau féminine, le parfum de ses cheveux, la fragilité de sa charpente comparée à la sienne. Des souvenirs d'une autre femme vinrent l'assaillir. D'amers rappels d'une relation qui avait commencé dans la colère et s'était terminée par un désastre.

Raf écarta ces pensées et se concentra sur l'instant présent et cette femme qu'il désirait plus que tout. Génie observait son reflet dans la glace. Ses yeux verts étincelaient.

— Je crois que vous y parviendriez mieux si vous vous mettiez à mon niveau, dit-elle.

Elle savait très bien se faire comprendre. Sous le léger tissu de son pyjama, il était difficile à Raf de dissimuler son désir, à moins de rejoindre Génie sur le parquet. Seulement là, elle se rendrait compte de l'effet qu'elle produisait sur lui… Peut-être n'était-ce pas une si mauvaise idée, après tout, se dit-il. Ce soir, il commencerait seulement à lui démontrer sa passion. Il le ferait en douceur. Patiemment.

Il se laissa donc glisser par terre, allongea les jambes de chaque côté de celles de la jeune femme et versa un peu plus de lotion dans ses paumes. Les bras autour d'elle, il lui appliqua le baume au milieu de la poitrine, sous la gorge délicate, et descendit petit à petit. Il croisa les yeux d'Imogene dans le miroir et lut le désir dans ses yeux languides. Elle écarta les lèvres et le rythme de sa respiration se faisait plus rapide chaque fois qu'il frôlait les seins qui se soulevaient. Mais quand il posa les lèvres sur sa nuque, elle retint son souffle. Dans le miroir, leurs regards ne se lâchaient plus.

— Vous êtes très belle, murmura Raf, tandis que ses mains lui encerclaient légèrement les seins à travers le satin.

— Merci, murmura-t-elle.

Mais il y avait de l'hésitation au fond de ses yeux. Raf s'interrompit un instant. Depuis leur première rencontre, quelque chose de vulnérable dans l'expression de Génie l'émouvait. Il ne comprenait que trop bien pourquoi elle lui avait dissimulé cet aspect de sa personnalité. Lui-même avait appris que c'était parfois préférable. Pourtant, il ignorait pourquoi elle paraissait manquer d'assurance et quelle en était la raison. Il savait seulement qu'il désirait lui montrer à quel point il appréciait sa beauté. Il voulait lui manifester les sensations qu'elle déclenchait en lui en cet instant.

Son esprit prit lentement le contrôle de son corps.

« Goûte-la, lui souffla-t-il, déguste cet instant. »

Alors, quand Génie renversa la tête contre son torse, il lui souleva le menton et l'embrassa, explorant la tiédeur de sa bouche avec sa langue tandis que ses mains lui caressaient les seins à travers la nuisette. Il sentit le désir de sa compagne rejoindre le sien à sa manière de lui encercler le cou d'une main pour le rapprocher d'elle, et de l'amener plus loin encore dans sa bouche. Autant il avait désiré sa solitude avec ardeur, autant il mourait maintenant d'envie d'être en elle.

Il mit brusquement fin au baiser, attira son regard vers le miroir et souffla :

— Regardez.

Lentement, il fit descendre la nuisette qui lui dénuda les seins. Comme il l'avait deviné, ses mamelons étaient d'une douce nuance corail et il eut envie de les prendre dans sa bouche, sur sa langue. Au lieu de cela, il les fit rouler entre ses doigts et pressa ses cuisses contre celles de Génie, sachant que s'il remontait les doigts jusqu'au point où elles se rejoignaient, il la trouverait brûlante et moite. Mais cette nuit, il s'en abstiendrait. Ceci n'était qu'un prélude. Quand ils feraient enfin l'amour, elle serait aussi à bout de désir que lui. Alors, il découvrirait toutes les facettes de sa sensualité et elle prendrait de son plein gré tout ce qu'il avait à lui donner, tout ce qu'il avait retenu depuis deux ans, tout au moins sur le plan physique. Mais pour cela, il allait devoir bientôt la laisser.

Pourtant, elle était si belle en cet instant qu'il aurait préféré de beaucoup révéler sa nudité et lui faire l'amour, en dépit de sa résolution d'avancer pas à pas. Brusquement, il se leva.

— Je dois y aller, dit-il.

Génie remit sa chemise en place et se releva. Ses traits exprimaient tout à la fois la confusion et le désir.

— Où allez-vous ? demanda-t-elle.

— Me coucher. Vous devriez en faire autant, sinon vous serez trop fatiguée pour notre leçon de demain.

La colère fulgura dans les yeux de Génie.

— Vous savez quoi, Raf Shakir ? Vous n'êtes qu'un allumeur.

— Je vous avais prévenue que je procéderais par étapes.

— Et je n'ai toujours pas voix au chapitre ?

— Ne trouvez-vous pas l'attente excitante ? Ne voyez-vous pas qu'en attendant, quand nous ferons enfin l'amour, ce sera comme vous l'avez toujours désiré, et davantage encore ?

— Vous êtes diablement sûr de vous, n'est-ce pas ?

— Et vous ? N'êtes-vous pas sûre de vous ?

Le regard de Génie se déroba.

— La plupart du temps, si.

Il lui souleva le menton et la força à le regarder une fois encore.

— Je n'ai aucun doute sur ce point. Vous serez aussi compétente comme maîtresse que vous l'êtes comme femme d'affaires.

— Merci pour le vote de confiance. Je souhaite qu'aucun de nous ne soit déçu.

Il se pencha et lui effleura les lèvres d'un baiser.

— Cela n'arrivera pas.

Le visage de Génie s'éclaira.

— Vous avez raison. Je ne crois pas être désappointée du tout si vous savez comment on se sert de *ça* !

Et, prenant Raf par surprise, Génie abaissa son doigt du milieu de son torse où elle l'avait posé vers son entrejambe où, à son contact, son sexe se tendit un peu plus. Avant de changer d'avis, Raf lui écarta la main, déposa un baiser au creux de sa paume et quitta la pièce. Il lui faudrait sans doute beaucoup plus qu'une nuit pour récupérer sa maîtrise de lui-même et pour analyser l'étrange sentiment que sa vie prenait un tour nouveau.

Le changement n'était pas toujours bon, même s'il était inévitable, songea-t-il. Le dernier qu'il avait connu l'avait presque détruit. La logique lui dictait donc de tenir ses émotions en laisse dès qu'il s'approchait de Génie. Il ne désirait rien ressentir d'autre pour elle au-delà du désir. Car un jour elle partirait et il n'était pas question de l'en empêcher, quelle que soit l'attention qu'il lui portait.

Le lendemain après-midi, en selle sur Maurice, Imogene se demandait pourquoi Raf était de si méchante humeur. Surtout après ce qui s'était passé entre eux au cours de la nuit précédente… Raf se tenait au centre de l'enclos tel un Monsieur Loyal, heureusement sans le fouet. Imogene serrait les mâchoires pour ne pas lui répondre tandis qu'il lui dispensait ses ordres, tel un adjudant en treillis. « Serrez davantage les genoux ! Tenez-vous droite ! Prenez les rênes bien en main ! » etc., etc.

Rien ne paraissait lui convenir. Tandis qu'hier soir… Imogene se demanda si son humeur désagréable avait quelque chose à voir avec la scène qui s'était déroulée dans sa chambre. Peut-être regrettait-il son comportement ? Peut-être avait-il deviné ses doutes quant à ses capacités en matière amoureuse ? Certes, elle n'était plus vierge, mais son expérience se limitait à Wayne. Wayne n'était pas un amant très attentionné et guère inspiré. L'expérience qu'elle avait eue avec lui pâlirait sans doute en comparaison de ce que Raf lui réservait.

Pourtant, tout en faisant évoluer son cheval sous le regard attentif de Raf, et même quand il paraissait cracher du feu, Imogene ne pouvait se retenir de revenir en pensée à la nuit dernière. L'instant où il l'avait caressée devant le miroir avait été l'expérience la plus érotique de sa vie. Et même s'il ne s'agissait que d'une caresse légère, sa sensualité n'avait jamais été aussi éveillée. Tout de suite, elle avait eu envie de faire l'amour.

Quand son portable se mit à sonner, Imogene arrêta Maurice, fourragea sous sa chemisette et tira le téléphone de l'étui attaché à sa ceinture.

— Danforth, pourquoi diable ne m'avez-vous pas rappelé.

— Je suis en pleine leçon d'équitation, Sid. Je vous rappellerai plus tard.

— Cela ne peut pas attendre. Je dois savoir quand…

Imogene ne put entendre la fin de sa phrase. D'un geste vif, Raf lui avait arraché le portable des mains.

— Mademoiselle Danforth ne doit pas être dérangée, dit-il d'un ton sévère, avant de couper la communication.

— Pourquoi avez-vous fait cela ? demanda Imogene.

— Voulez-vous apprendre sérieusement à monter ? répliqua-t-il d'une voix sèche en plissant les yeux.

— Il s'agissait de mon patron. Il n'aurait pas appelé si ce n'était pas important.

— Je vous le demande encore : prenez-vous les leçons au sérieux ?

— Je suis ici, n'est-ce pas ? Je suis présente et j'endure votre irritation et votre ton autoritaire et je n'en ai pas fait un problème ni ne me suis plainte, je crois ? Et pourtant, il y aurait de quoi !

— Si ce que vous dites est vrai, alors n'apportez jamais plus ceci, dit-il en lui montrant le téléphone. Du moins pas si vous tenez à votre sécurité. Vous avez eu de la chance que le cheval n'ait pas rué.

Imogene baissa les yeux sur Maurice. Son museau traînait pratiquement dans la poussière. Il devait sans doute somnoler. Elle lui tapota l'encolure. Il ne bougea pas.

— Je peux vous affirmer que le téléphone n'a pas du tout dérangé Maurice, ironisa-t-elle. Il ne l'a même pas tiré de son sommeil profond.

Le sarcasme parut ne pas être du goût de Raf qui se renfrogna.

— J'ai déjà vu des cavaliers gravement blessés en étant moins distraits que vous, dit-il.

Sous la gravité du ton, Imogene tressaillit. Curieuse, elle demanda :

— Quelqu'un que vous connaissiez bien ?

— C'est sans importance.

A son expression troublée et à ses yeux assombris, Imogene devina qu'il faisait allusion à une expérience personnelle.

— Y a-t-il un autre point sur lequel vous désirez me corriger, Votre Altesse ? s'enquit-elle.

Raf la regarda d'un air sévère.

— Je vous avais bien dit de mettre des manches longues, non ?

Imogene jeta un coup d'œil à ses bras nus.

— En effet, mais j'ai une peau très résistante. La brûlure a déjà disparu.

Enfin presque, se dit-elle en remarquant une zone d'un rose un peu plus foncé.

— Vous risquez d'avoir encore des ennuis ce soir, remarqua Raf.

Elle leva vers lui un sourire lumineux.

— C'est bien pour cela que j'ai la lotion solaire de Doris. Peut-être pourriez-vous venir encore une fois m'aider ?

— La leçon est terminée, répondit-il sèchement.

Et il sortit de l'enclos sans la regarder.

Le cœur d'Imogene se serra. Regrettait-il la nuit dernière ? Dans ce cas, il n'avait sans doute aucune intention de tenir sa promesse de lui faire l'amour. Pourtant, elle avait son mot à dire sur ce point. Elle sauta maladroitement à terre et tira Maurice vers l'écurie où elle trouva Raf en train de nettoyer la stalle. Il avait ôté sa chemise et offrait à Imogene le spectacle appétissant de ses fesses moulées dans un jean étroit et de son dos nu aux muscles étirés.

Dans l'espoir d'attirer son attention, Imogene écarta la sciure du bout du pied et éternua à trois reprises. Comme il ne bronchait pas, elle finit par lancer :

— Que dois-je faire de Maurice ?

Raf poursuivit sa besogne, jetant les pelletées de crottin et de sciure dans la brouette avec une sorte de fureur.

— Otez-lui la bride et mettez-lui le licol. Ensuite, brossez-le. Blaylock le douchera avant de le préparer pour la nuit.

Coopératif comme toujours, Maurice se laissa faire.

Dommage, pensa Imogene, que son maître ne soit pas aussi accommodant, aujourd'hui. Quand le cheval eut un joli pelage lustré, elle jeta la brosse dans le chariot à côté de la stalle et resta debout sur le seuil.

— Pourrais-je récupérer mon téléphone, je vous prie ?

Raf posa la pelle contre le mur et se retourna vers elle.

— Pourquoi en avez-vous besoin maintenant ?

Mais de quoi se mêlait-il ?

— Parce qu'il m'appartient.

Le regard de Raf se balada de haut en bas sur le corps d'Imogene, puis il enfonça ses pouces dans ses boucles de ceinture. Imogene aperçut dans sa poche avant les contours de son portable.

— Vous savez, dit-elle, Sid doit être furieux contre nous deux.

— Votre patron n'est pas mon problème.

— C'est facile pour vous. Vous ne travaillez pas pour lui.

Elle tendit la main.

— Rendez-le-moi.

— Venez donc le chercher.

Un lourd silence s'abattit dans l'écurie et ils se mesurèrent du regard.

Les yeux gris, magnétiques de Raf étaient pleins d'une expression de défi qui poussa Imogene à s'avancer pour se retrouver face à lui. Il était en sueur. Elle avança la main et atteignit le téléphone au fond de sa poche. Puis, elle le tira vers le haut, lentement. Raf serra les mâchoires et les muscles de son abdomen se contractèrent. Brusquement, il la prit par la taille et la poussa contre la cloison de la stalle. Mais son corps resta à distance du sien.

— Ne remettez plus jamais cette blouse, dit-il.

— Préférez-vous que je monte seins nus ?

Du bout du doigt, Imogene traça un cercle autour d'un mamelon viril.

— J'ai besoin de me concentrer sur vos leçons. Je ne peux pas y arriver quand vous me distrayez.

— Moi, je vous distrais ? Comment ?

— Avec votre corps, dit-il, en enveloppant son sein de sa large paume. Avec votre bouche. Avec vos yeux.

— Me suggérez-vous de porter un imperméable, un bandeau et un bâillon ?

— Un chemisier classique fera l'affaire.

Imogene faillit pousser un cri de victoire.

— Est-ce la raison pour laquelle vous étiez de si mauvaise humeur aujourd'hui ? Parce que je vous distrayais ?

Il lui prit la main et la plaqua sur son érection.

— Qu'en pensez-vous ?

Ce qu'elle en pensait ? Qu'elle était sur le point de s'évanouir ou bien de s'étaler dans la sciure et fondre comme une motte de beurre au soleil.

— Ce n'est pas entièrement de ma faute, murmura-t-elle. Vous auriez pu y remédier…

Elle pressa sa main contre celle de Raf.

— … la nuit dernière.

— Le moment ne s'y prêtait pas.

La main d'Imogene le caressa un peu plus et elle le défia du regard.

— Alors, faites quelque chose… maintenant !

Depuis leur première rencontre, Imogene avait joué avec ce fantasme : faire l'amour dans l'écurie avec un inconnu. Mais Raf n'était plus un inconnu même si elle ne savait toujours pas quels secrets se dissimulaient derrière ses yeux, ni quels soucis retenaient son cœur.

Elle reconnut que son imagination d'alors ne rendait pas justice au baiser qu'il lui donna soudain. Un baiser plus épicé que doux, plus fougueux que délicat, bien plus corsé qu'elle ne l'avait espéré. Les cris des hommes au-dehors, les hennissements qui s'élevaient de temps à autre, ne parvinrent pas à interrompre la magie qui passait entre eux. Même la part de prudence qui existait chez Imogene s'envola avec le vent qui s'engouffrait à l'intérieur de l'écurie, soulevant des tourbillons de poussière. Ce baiser, si délicieusement brûlant, envahissait tout son corps et ordonnait à son esprit de ne plus penser à rien. Elle comprit que, si Raf le lui ordonnait, elle se déshabillerait et prendrait ce qu'il avait à lui offrir, là et maintenant, et qu'elle obéirait avec bonheur.

La main de Raf se faufila sous sa blouse et son soutien-gorge. Il n'était pas question ici de rencontre des esprits. Il ne s'agissait que d'électricité, des prémices du plaisir. Raf ne manifesta aucune intention de s'arrêter lorsqu'il prit ses seins nus au creux de sa main. Il se pressa au contraire avec plus d'ardeur contre elle et poursuivit son assaut suffocant sur sa bouche. Sa langue s'y mouvait, déchaînée et si talentueuse.

71

Sans lui laisser le temps de reprendre sa respiration ou de se demander pourquoi ils devraient s'arrêter, Raf fit descendre sa main vers le ventre d'Imogene et lentement baissa la fermeture à glissière de ses jodhpurs. Il en fit autant avec son propre pantalon.

Dans dix secondes, songea Imogene, il serait trop tard pour revenir en arrière. Telle fut sa dernière pensée avant que la main de Raf ne s'aventure à l'intérieur de ses jodhpurs.

— Désirez-vous que je m'occupe de la jument, cheikh Shakir ? cria tout à coup une voix masculine.

Raf sursauta et s'écarta d'elle, entraînant avec lui toute la magie de l'instant.

— Oui, lança-t-il à l'intention de l'intrus pendant qu'Imogene se rajustait aussi vite qu'elle le pouvait.

Elle se passa les doigts sur les lèvres qui lui parurent sensibles et meurtries. Pourtant, elle aurait supporté plus longtemps avec joie la suave torture des baisers de Raf. Pour l'instant, hélas, il ne la regardait même plus.

— Je vais retourner à la maison, dit-elle.

— Je crois que ce serait préférable, répondit-il.

Elle passa à côté de lui. Il semblait toujours insensible à sa présence.

— Nous nous verrons plus tard, je pense ?

— Peut-être au dîner.

Imogene remonta le chemin d'un pas pesant, le cœur lourd, l'esprit accablé par la certitude que leurs relations avaient atteint un point de non-retour et qu'elles n'avaient désormais plus rien à voir avec les affaires. Elle n'avait plus devant elle la simple perspective d'une relation physique satisfaisante, même si elle ne pouvait nier son désir pour lui. Elle était prête à admettre qu'elle voulait connaître Raf davantage, même si pour cela elle devait franchir les limites du plaisir charnel pour s'aventurer vers une véritable implication affective.

Quelque chose clochait chez Raf. Quelque chose qui mettait un frein à leur mutuelle attirance. Imogene n'était pas vraiment au fait de la psychologie masculine. Elle pouvait donc être dans l'erreur. Mais peut-être parviendrait-elle quand même à en savoir un peu plus, la prochaine fois qu'ils se retrouveraient seuls.

Si cela arrivait jamais.

5.

Raf éprouvait un besoin urgent de solitude. Il devait absolument trouver un endroit où il pourrait recouvrer son sang-froid. Les mains à plat contre le mur devant lui, il baissa la tête et ferma les yeux. Il avait encore dans la bouche le goût de Génie, et son parfum de rose s'attardait sur son corps. Il revoyait son visage et le désir qu'il exprimait, revivait la passion qui montait en eux. Il avait trop voulu se hâter. Il avait oublié sa promesse de patienter. S'ils n'avaient pas été interrompus, il aurait pris Imogene, là, sur-le-champ.

— Elle est prête maintenant.

Il tourna les yeux vers la travée. Ali Kahmir se tenait dans l'embrasure de la porte. Il était le seul de ses employés à avoir voulu l'accompagner en Amérique. Les autres avaient préféré rester à Amythra car, après le tragique accident qui avait transformé son existence, Raf était incapable de contrôler ses accès de rage. A force de travail sur lui-même, il était parvenu à réfréner sa violence. Jusqu'à ce matin avec Génie. Elle ne méritait pourtant pas de subir le gros de sa frustration et ne pouvait pas non plus comprendre d'où il tirait son tourment. Lui seul connaissait le poids de ses remords et leur cause.

Raf s'écarta du mur, franchit la porte et se retrouva dans l'allée.

— Es-tu certain de le vouloir ? demanda Ali derrière lui.

Raf n'osa pas se retourner pour faire face à son vieil ami. Il ne pourrait pas supporter de voir la pitié s'inscrire sur son visage.

— Il y a longtemps que j'aurais dû le faire, dit-il.

— Mais pourquoi aujourd'hui ?

Raf s'était posé la même question ce matin même, lorsqu'il avait pris sa décision. Peut-être avait-il besoin de se rappeler avec force pourquoi il devait être particulièrement attentionné avec Génie ?

— Aujourd'hui est un bon jour, répliqua-t-il. L'as-tu fait travailler comme je te l'avais demandé ?

— Oui. Bien qu'elle ait toujours un peu de difficulté à droite. Sinon, elle semble avoir maîtrisé tout le reste.

— Parfait. A partir de là, je m'en occupe.

Quand Raf s'approcha de la carrière où la jument alezane était attachée, il remarqua tout de suite qu'elle avait grandi au cours des deux dernières années. Elle était issue d'un croisement de cheval arabe et de Hanovre, et il l'avait choisie à l'époque pour sa taille et sa force avec l'idée de la dresser dans ses écuries d'Amythra dans la perspective des olympiades.

Il avait placé en elle tous ses espoirs et c'était en partie à cause d'elle qu'il avait glissé dans le désespoir. Mais il ne pouvait en vouloir à la jument. Lui seul était à blâmer.

Raf dénoua les rênes et lui parla avec douceur avant de la conduire à l'extérieur de l'enclos. Quand il se mit en selle, elle resta soumise, à la différence de la dernière fois, deux ans auparavant, où il avait tenté de la monter. Il prit la direction de la rivière, le long d'un sentier, satisfait de la voir marcher au pas. Au bout d'un instant, il la mit au trot. Elle en parut satisfaite pendant quelques minutes, mais il se rendit vite compte qu'elle avait envie d'aller plus vite. Tout comme lui. Il la mit au galop. Il continua à cette allure, même quand il atteignit le point où le chemin se rétrécissait et où les champs laissaient la place à d'épaisses frondaisons. Il pencha la tête sur l'encolure de la jument afin de les éviter. L'envie le saisit de fermer les yeux pour chasser les images obsédantes. Mais cela ne servirait à rien. Aussi loin qu'il pouvait aller, aussi vite qu'il pouvait galoper, les souvenirs seraient toujours là, aussi tranchants qu'une lame de rasoir. Comme toujours...

Au bord de l'eau, Raf arrêta la jument et sauta à terre. La promenade aurait dû le réveiller, et pourtant il était las et fourbu. Il lâcha les rênes et laissa la jument paître les quelques brins d'herbe qui poussaient à l'ombre des gros cyprès. Il s'adossa à un tronc noueux, à peine conscient des bruits de la vie sauvage dans ce terrain marécageux, essayant de reprendre son souffle et de recouvrer son calme. La présence de la jument suffisait seule à lui rappeler certains événements douloureux et, une fois de plus, il les tourna et les retourna dans sa tête, en se demandant s'il aurait pu agir autrement et changer l'issue de cette horrible journée d'avril, il y avait deux ans de cela.

Jamais il n'aurait dû épouser Daliya. A l'époque, il avait trente-quatre ans, elle à peine vingt. Elle était bien trop jeune pour assumer le rôle d'une épouse de prince.

Pourtant, c'était le devoir qui avait dicté à Raf le choix de sa partenaire. Le devoir d'avoir un héritier. Celui de s'en tenir aux termes d'un contrat qui l'obligeait à épouser sans discuter une femme choisie pour lui, comme cela se faisait depuis des générations dans sa culture. Il s'était aussi montré trop pressant au lit avec Daliya. Elle l'y avait rejoint de son plein gré, mais il n'avait vu aucune passion dans ses yeux, aucun désir pour lui — seulement de la méfiance. Malgré tous ses efforts pour se concilier ses bonnes grâces, elle n'y avait pas répondu favorablement. Elle n'avait pas réagi à des caresses qu'elle n'avait pas désirées. Elle semblait lui en vouloir d'avoir réussi à lui donner du plaisir, un plaisir qu'il avait fait passer avant le sien. Au cours des rares occasions où ils avaient fait l'amour, Raf avait pu combler son corps, mais son âme était restée insatisfaite.

Deux semaines après leur mariage, il avait offert la jument alezane à son épouse pour essayer de lui faire plaisir. Il lui avait également donné des instructions. Elle ne devait pas monter la jument encore mal dressée en son absence. Daliya lui avait désobéi et avait commis une fatale erreur en la mettant au galop. Elle avait ensuite tenté de sauter un mur bas et Raf avait assisté impuissant à sa chute mortelle.

Si seulement il avait davantage insisté pour l'arrêter ! Si seulement il avait été capable de la rendre heureuse ! Au lieu de cela, il avait refusé d'écouter ses arguments, elle s'était enfuie et avait ainsi rencontré son destin. Les souvenirs maintenant affluaient à sa mémoire, aussi vivants que si l'accident venait seulement de se produire. Il se revit courir vers elle, la serrer contre lui et réaliser à cet instant qu'il aurait dû se montrer plus patient. Il aurait fini par l'aimer même si elle n'avait jamais pu lui rendre son amour. Il aurait pu lui accorder la liberté qu'elle revendiquait ce fatal matin. Là résidait sa honte. Ce fut la seule fois — et la dernière — de sa vie adulte où il pleura.

Et celle aussi où il se jura de ne plus jamais se marier.

Le vent forcit soudain et des nuages d'orage se rassemblèrent au-dessus de sa tête. Raf récupéra la jument et décida de regagner l'écurie à pied. La jument parut satisfaite de le suivre d'un pas tranquille, inconsciente d'avoir été le catalyseur de ses remords. Il l'avait rebaptisée Daliya pour ne jamais oublier sa chute. Puis il avait coupé tous les liens avec son pays natal, maintenant que son père était mort et qu'il ne figurait pas dans l'ordre de la succession au trône. Il était venu en Amérique entamer une nouvelle vie et essayer d'effacer tous ses souvenirs, en élevant des chevaux près de Savannah.

Raf se dit qu'en bien des manières il avait choisi ce jour pour faire revivre ses souvenirs, comme une sorte de rappel de ce qu'il devait éviter de faire avec Génie. Il la désirait de tout son être et, cependant, il ne lui ferait pas l'amour avant d'être certain qu'elle le voulait avec la même force. Il continuerait à prendre son temps et s'assurerait de bien lui faire comprendre son état d'esprit.

Jamais plus il ne mettrait contre son gré une femme dans son lit. Il avait les moyens de découvrir si Génie le désirait vraiment et l'intention de les mettre en pratique dès ce soir. Peut-être trouverait-il enfin l'apaisement entre ses bras, même s'il n'était que de courte durée ? Et même si la paix continuerait à le fuir.

De la fenêtre de sa chambre, Imogene observait Raf qui regagnait la maison. Les derniers rayons du soleil couchant se reflétaient dans ses cheveux sombres. Les restes d'un orage tropical venaient de passer sur eux sans autres effets qu'une légère averse. Au fur et à mesure qu'il approchait, Imogene se dit qu'elle n'avait jamais vu une telle tristesse dans le regard d'un homme. Dans les siens, oui, lorsqu'elle s'était contemplée dans la glace quelques instants auparavant. Elle était triste, d'abord parce qu'il ne l'avait pas rejointe pour le dîner. Ensuite parce qu'elle venait de s'éveiller d'un rêve où sa sœur lui était apparue. La douce, la confiante Victoria, que tous ses proches appelaient Tori, se tenait debout au milieu d'un champ, les bras écartés. Ses cheveux d'ambre blond rejetés en arrière par le vent découvraient ses yeux à peu près de la même nuance. Depuis sa disparition cinq ans auparavant, Imogene faisait souvent le même rêve. Elle courait vers Tori d'une démarche de plomb en lui faisant de grands signes de la main et en criant son nom. Mais avant qu'elle puisse l'atteindre, Tori disparaissait.

Imogene ne comprenait pas pourquoi, cette fois, Tori se trouvait au milieu d'une prairie attenante au haras au lieu de leur propre jardin comme d'habitude. Mais elle n'avait pas la force d'en chercher la raison. Pour l'instant, elle avait seulement envie d'ouvrir un bain chaud, d'emporter sous la véranda le thriller qu'elle avait apporté avec elle et de tenter de résoudre le mystère. Elle eut en fait juste le temps de prendre son bain, mais pas celui de prendre son bouquin, car le téléphone sonna au même instant.

— Pourquoi diable m'avez-vous raccroché au nez, Danforth ? vociféra son patron à l'autre bout du fil.

Ce cher Sid ! La douceur même ! songea Imogene.

— Je vous avais dit que j'étais au beau milieu d'une leçon d'équitation.

— Mauvaise réponse, Danforth. Ici, c'est le chaos. Je n'arrive pas à trouver le dossier Littleton.

— Avez-vous essayé sous la lettre « L » ?

— Je ne suis pas idiot, Danforth !

Cela restait à voir.

— Avez-vous vérifié auprès de la secrétaire du service administratif ?

— Non. Comment s'appelle cette fille ?

— Rachel. Elle travaille chez nous depuis sept ans. Vous devriez faire sa connaissance.

— Je n'ai pas le temps de faire des salamalecs à la secrétaire. Si vous étiez là, je n'aurais pas ce genre de problème.

Imogene en doutait fort.

— Calmez-vous, Sid, se contenta-t-elle de dire.

— Impossible. Le marché dégringole en ce moment.

— Désolée, mais je n'y peux rien. Et comment voulez-vous garder des investisseurs nerveux si vous avez l'air mûr pour une cellule capitonnée ?

— C'est votre job, Danforth. Alors, vous feriez bien de vous dépêcher de planter là ce truc équestre et revenir immédiatement.

— Je regrette, je ne suis pas encore prête.

Pas prête pour les Grantham, pas prête surtout à quitter Raf !

— Je vous accorde jusqu'au milieu de la semaine prochaine.

— Deux semaines pleines, sinon cela n'aura servi à rien.

— Disons jusqu'à la fin de la semaine prochaine. C'est ma dernière offre.

— Je verrai ce que je pourrai faire pour activer les choses.

Et presser Raf de tenir sa promesse. Elle ne voulait pas s'en aller sans savoir ce qu'elle ressentirait quand elle aurait réussi à l'attirer dans son lit.

— Je vais aller me coucher, Sid. Y a-t-il autre chose ?

— Amusez-vous bien, répondit-il sarcastique.

Elle en avait bien l'intention. Encore fallait-il parvenir à isoler Raf.

— Merci, Sid, dit-elle en prenant congé.

Sans daigner lui dire au revoir, Sid raccrocha. Imogene se dirigea vers la véranda et s'installa sur la chaise longue avec son livre. Mais elle ne put penser qu'à Raf et à sa manière de la tenir dans ses bras cet après-midi-là.

Une heure plus tard, lorsqu'elle entendit gratter à sa porte, Imogene tendit l'oreille. Avait-elle bien entendu ? Le bruit recommença, cette fois assez fort, et elle sentit le sang battre dans ses oreilles. Portée par un sentiment aigu d'attente, elle se précipita vers la porte. Elle y trouva seulement Doris, vêtue d'un tablier fleuri rose et vert clair, les cheveux ramassés sous un turban de satin rose.

— Je me demandais, mon chou, si vous désiriez changer de draps ? lui dit-elle.

Imogene désirait un amant, pas des draps. Elle secoua la tête.

— Non, merci.

Doris parut se satisfaire de la réponse, mais ne manifesta aucune intention de s'en aller. Elle inspecta la chambre du regard comme si elle cherchait quelque chose. Ou quelqu'un.

— Bon, très bien, si vous n'avez besoin de rien, je vais aller me coucher, maintenant.

— Faites de beaux rêves, Doris.

— Vous aussi, mon chou. J'espère que vous dormirez bien. Sinon, je souhaite que ce soit parce que vous aurez autre chose pour vous occuper.

Elle repartit le long du couloir en gloussant. Avec un léger grognement, Imogene s'en retournait vers la véranda, lorsqu'un nouveau coup à la porte l'arrêta dans son élan. Il était manifeste que Doris tenait à faire un brin de causette. Mais Imogene n'en avait pas du tout envie. Elle ouvrit la porte toute grande. Cette fois, elle ne trouva pas Doris sur son seuil mais Raf, avec son mètre quatre-vingt-dix, un pantalon de pyjama noir et un T-shirt blanc. Il avait les cheveux mouillés et l'ombre d'une barbe naissante mettait en relief les contours de ses lèvres. Il exhalait une odeur d'averse d'été.

— Puis-je entrer ?

Comme s'il avait besoin de poser la question ! Imogene s'écarta pour le laisser passer, respira profondément et, refermant la porte sur lui, lui fit face.

— Je commençais à me demander si vous aviez l'intention de passer la nuit aux écuries, dit-elle.

— Pas pour l'instant, mais cela pourrait bientôt s'avérer nécessaire. J'ai une jument qui attend le premier rejeton de BaHar. Nous avons eu du mal à obtenir ce résultat, aussi est-elle la dernière à pouliner.

Le côté femme d'affaires chez Imogene l'emporta sur la satisfaction de voir Raf en chair et en os dans sa chambre.

— Est-ce à cause de la jument ou de BaHar ?

— Il s'agit d'une jument âgée. Ce n'est pas rare quand c'est le cas.

— Parfait. Je ne voudrais pas que les investisseurs potentiels puissent croire que BaHar n'était pas capable de faire son métier.

— Je peux vous affirmer qu'il l'est parfaitement.

Tel cheval, tel éleveur, songea Imogene dont le visage s'empourpra aussitôt.

— BaHar et la jument ont eu des difficultés pour s'accoupler ? dermanda-t-elle.

— Nous avons eu des problèmes pour collecter la semence de BaHar. En fait, le procédé s'est fait artificiellement.

Imogene ne savait pas trop bien comment se passait ce genre de chose.

— Cela n'a pas dû être très drôle pour Bahar, dit-elle.

— A partir du moment où nous avions une jument pour l'exciter, il n'a pas paru perturbé. Vous devriez assister à ce spectacle, un jour.

— Non, merci. Je n'ai pas l'âme d'un voyeur, répondit Imogene, très embarrassée. Je préfère vous croire sur parole.

— Tout ceci est très clinique et très contrôlé, vous savez. BaHar ne serait pas plus gêné pour ça.

Le regard de Raf se fit plus obscur.

— D'ailleurs, nous devrions parler un peu plus des rituels d'accouplement chez le cheval.

Imogene n'y tenait pas du tout. Ce qu'elle voulait, c'était faire l'amour avec lui. Sans y être invité, Raf se dirigea vers le lit où il s'assit. Imogene le rejoignit, mais garda ses distances. Elle voulait d'abord connaître les raisons de sa présence. Tout en espérant bien sûr qu'il s'agissait de ce qui les avait rapprochés la nuit précédente… et terminer ce qu'ils avaient commencé le matin même. Si cela se produisait, peut-être parviendrait-elle enfin à apprendre à monter à cheval et laisser toute cette histoire derrière elle ?

Raf se rapprocha du rebord du lit et, les coudes appuyés sur les cuisses, croisa les mains.

— Je voudrais d'abord m'excuser, dit-il.

Tous les espoirs d'Imogene s'effondrèrent.

— Vous excuser ? Pourquoi ?

— Pour la façon dont je vous ai traitée aujourd'hui.

Ce n'était pas du tout ce qu'Imogene avait envie d'entendre.

— Mais vous n'avez pas à vous excuser, Raf ! Nous nous sommes laissé un peu emporter.

— Oh, il ne s'agit pas de cela, bien que je sois désolé d'avoir perdu mon sang-froid. Je faisais allusion à ma colère. Elle était dirigée vers vous, mais pas contre vous.

La curiosité d'Imogene grimpa d'un cran.

— A quel propos, alors ?

— C'est sans importance. Je désire seulement que vous le sachiez : cela n'avait rien à voir avec vous.

— En êtes-vous certain ? Je ne progresse peut-être pas assez vite en équitation ? interrogea-t-elle, détestant entendre le timbre inquiet de sa voix.

Raf lui adressa un sourire rassurant.

— Comme je vous l'ai dit, vous vous débrouillez très bien étant donnée la brièveté de votre séjour ici.

— Merci.

Il laissa longuement courir son regard sur le corps de la jeune femme.

— Le rouge vous va bien.

Imogene serra plus étroitement la ceinture de son peignoir.

— Parlez-vous de ma peau ou de ma chemise de nuit ?

— De votre chemise de nuit… même si je n'ai pas à me plaindre de votre peau.

Sans doute, se dit Imogene, son visage empourpré s'alliait-il parfaitement avec la couleur du court négligé de satin ? Elle n'avait jamais très bien su accepter les compliments et le regard de Raf était tellement incandescent…

Elle songea un instant à lancer « Quoi ! ce vieux truc ? », mais en réalité, elle l'avait enfilé pour lui, dans l'espoir qu'il reviendrait la voir ce soir. Eh bien, il était là, et elle ne savait que dire ni que faire. La chose était d'autant plus étrange que, dans ses transactions d'affaires, elle avait toujours su garder la main et son aplomb. Mais, encore une fois, l'attirance fabuleuse qu'elle ressentait n'avait rien à voir avec les affaires.

— Merci encore, se contenta-t-elle de dire, incapable de trouver quelque chose de plus original.

D'autant plus que Raf continuait à la regarder fixement comme s'il attendait quelque chose. Un geste, peut-être ? Or, Imogene, elle, savait parfaitement ce qu'elle avait envie de faire. Seul le courage lui manquait.

— Je suppose que vous êtes sur le point d'aller au lit ? laissa-t-elle échapper. Je suis sûre que vous devez être fatigué.

— Et vous ? Vous êtes fatiguée ? demanda-t-il d'une voix profonde et persuasive qui fit courir des petits frissons le long de l'échine d'Imogene.

— Pas vraiment.

— Votre coup de soleil vous gêne-t-il encore ?

Imogene se passa la main dans les cheveux, réalisant tout à coup qu'elle ne s'était même pas coiffée depuis qu'elle était sortie de son bain.

— En fait, c'est encore un peu sensible.

— Puis-je encore vous proposer mon aide ? C'est la moindre des choses, étant donné mon manque d'égard plus tôt dans la journée.

— Vous ne m'avez pas froissée.

— J'aimerais quand même me faire pardonner.

— Je n'y vois aucune objection.

La tension entre eux était presque palpable. Le silence se prolongea. Enfin, Raf se leva avec une sorte de grâce virile et lui prit la main pour la remettre debout à son tour. Il ne la lâcha que le temps de s'emparer du flacon de lotion et le poser sur le petit guéridon. Enfin, il tourna ses yeux magnifiques vers Imogene et, lentement, dénoua la ceinture du négligé qu'elle portait. Puis, passant ses mains sous l'étoffe, il fit glisser le vêtement le long de ses bras et l'en débarrassa. De nouveau, il marqua une pause pour contempler son corps, s'attardant sur ses seins. Sous son regard insistant, Imogene sentit ses mamelons se durcir et son cœur se mit à battre à grands coups. Elle faillit gémir lorsque Raf s'éloigna d'elle comme s'il avait renoncé. Puis elle réalisa qu'il baissait les lumières, ne laissant qu'un doux éclairage d'ambiance, et un bref soupir de soulagement lui échappa. Mais elle n'avait guère besoin qu'on la mettre dans l'ambiance, songea-t-elle. La seule présence de cet homme était bien suffisante. Par la porte-fenêtre ouverte sous la véranda s'infiltra soudain un enivrant parfum de jasmin.

De nouveau, Raf l'installa par terre, face au mur tapissé de glaces. Exactement comme la nuit précédente, il lui enferma les jambes entre les siennes comme dans une sorte de cocon sensuel. Il versa un peu de lotion au creux de sa main et pencha Imogene en avant pour lui appliquer le produit dans le dos, à l'endroit où ses cheveux ne dissimulaient plus la peau exposée au soleil. Ses mains calleuses se firent veloutées et ses paumes lui caressèrent doucement les épaules, descendirent le long de ses bras puis gagnèrent sa poitrine, là où la peau rougie dessinait deux demi-lunes en haut de ses seins. Mais cette fois, il n'alla pas plus loin. Les mains appuyées sur ses épaules, les lèvres contre son oreille, il chuchota :

— Si vous désirez autre chose, il faudra me le signifier.

Imogene lui fut reconnaissante de ne pas lui avoir demandé ce qu'elle désirait, parce que franchement, elle aurait été incapable d'ouvrir la bouche. Mais elle pouvait lui montrer… Alors, se débarrassant des bretelles de sa nuisette, elle commença à la descendre sur sa poitrine. Comme Raf en oubliait de lui caresser les épaules, elle lui prit les mains et les posa sur ses seins. Ainsi qu'il l'avait fait la nuit précédente, ses doigts agiles se déployèrent sur eux avec une telle délicatesse qu'ils déclenchèrent chez Imogene une faim dévorante. Elle lui noua les bras autour du cou et lui fit abaisser la tête vers sa gorge où il déposa des petits baisers mouillés avant de faire passer sa langue entre ses seins. Elle lui montra alors avec exactitude ce qu'elle désirait et comment elle voulait qu'il le fasse, en guidant sa tête jusqu'à ce que ses lèvres tièdes s'emparent d'un mamelon. Un soupir de béatitude lui échappa et elle passa la main dans l'épaisse chevelure de Raf et s'y cramponna comme à une corde de sauvetage.

Sur bien des points, il était son sauveur en effet, car il l'avait ramenée sans effort vers la terre des vivants. A chaque mouvement de sa langue, chaque traction de sa bouche, elle avait l'impression de vivre avec une intensité qu'elle n'avait jamais connue, de ressentir des besoins qu'elle avait toujours ignorés.

Quand elle émit un faible son de plaisir, Raf leva la tête et chercha ses yeux.

— Désirez-vous autre chose de moi ce soir ?

— Oui.

— Alors montrez-moi.

Il lui planta un léger baiser sur chaque sein, puis sur la bouche, lui écarta les bras et l'obligea à se retourner vers le mur tapissé de miroirs. Il fallait le reconnaître, songea Imogene, il savait très bien ce qu'elle désirait, ce dont elle avait besoin, mais il attendait toujours qu'elle lui donne l'autorisation. Alors attrapant le bas de sa nuisette, elle la fit passer par-dessus sa tête. Elle était maintenant complètement nue, à l'exception de la petite culotte rouge assortie à la nuisette. Les bras de Raf l'encerclèrent et sa peau tiède et bronzée se détacha contre celle plus claire du ventre d'Imogene. Dans le reflet que lui renvoyait le miroir, elle s'émerveilla de la largeur de ses mains et de leur douceur. L'une d'elles descendit vers son nombril, l'autre lui encercla un sein. Du pouce, dans un mouvement de va-et-vient, Raf en titilla la pointe.

Alors, toutes les inhibitions qu'Imogene avait pu avoir jusque-là s'évanouirent. Sa main guida la main de Raf plus bas sur son ventre. Retenant son souffle, elle attendit, guetta le moment où il prendrait l'initiative. Il ne la déçut pas.

— Ouvre-toi pour moi, murmura-t-il.

Et sa main, posée à l'intérieur de ses cuisses lui écarta les jambes.

Imogene n'était pas encore assez brave pour ôter sa culotte. Il dut le sentir, car il n'essaya pas de le faire à sa place et se contenta de glisser sa main sous le rebord de dentelle. A ce simple contact, les jambes d'Imogene se mirent à trembler et une moiteur imprégna l'intérieur de ses cuisses. Elle était en même temps possédée par l'impression d'avoir quitté son corps et de contempler la scène de loin dans le miroir et, d'un autre côté, elle n'avait jamais été aussi en harmonie avec son corps et sa sensualité endormie depuis si longtemps.

Même sans voir Raf, elle ressentait chacun de ses gestes avec intensité — la caresse soyeuse de ses doigts… sur son corps, dans son corps. La sensation de plénitude, la tension qui montait en elle à chaque caresse. Il éparpilla une pluie de petits baisers dans son cou, lui câlina les seins et la serra très fort, laissant s'enfler le torrent de ses sensations jusqu'au moment où il devint impossible à Imogene de se retenir. Le plaisir l'emporta, de vague en vague, en une houle continue jusqu'au moment où elle revint sur un nuage à la réalité et fut aussitôt renvoyée dans le monde de la sensation pure par le baiser que lui donna Raf, point culminant parfait de la jouissance qu'elle venait de vivre. Pourtant, il ne cessa pas de la toucher, de la caresser, de la griser de caresses régulières pour finir par engendrer un nouvel orgasme.

La tête nichée sous le menton de Raf, Imogene poussa un long gémissement qui aurait pu se transformer en cri si elle ne s'était pas mordu les lèvres. Mais Raf était aussi farouchement déterminé à lui montrer son côté sensible qu'il l'avait été à lui faire connaître cette face du plaisir. Il l'attira sur ses genoux et la prit dans ses bras. Le visage d'Imogene reposait maintenant contre son cœur. Elle l'entendait battre régulièrement contre sa joue, ce cœur dont elle désirait savoir tous les secrets. Mais, plus important encore, elle désirait savoir ce qu'elle ressentirait quand Raf serait en elle, complètement.

— Je vous désire, murmura-t-elle en lui baisant la joue à petits coups.

Mais, quand elle posa sa main sur le cordon de son pantalon de pyjama, il lui saisit le poignet.

— Pas encore, souffla-t-il. Mon plaisir, je l'ai pris, en vous donnant le vôtre.

Imogene recula et le regarda, incrédule.

— Je veux faire l'amour avec vous, dit-elle. Pas demain ni après-demain. Cette nuit.

Raf lui repoussa les cheveux en arrière et lui baisa le front.

— Je dois maintenant regagner ma chambre.

La déception arracha un soupir rauque à Imogene.

— Raf, cela ne peut pas être si bien que cela pour vous. Je veux dire que vous n'avez même pas…

D'un nouveau baiser, il l'arrêta.

— Tout cela a été magnifique pour moi. Je ne vous ai encore jamais vue aussi belle que lorsque vous avez atteint l'orgasme. J'attendrai la prochaine fois avec impatience. Et la suivante aussi.

La réalité de ce qu'ils venaient de faire devant un miroir frappa Imogene. Mais cela ne diminua en rien son désir.

— Ne partez pas, Raf. Finissons-en.

Il lui prit les deux mains et les porta à ses lèvres puis la souleva entre ses bras.

— Lorsque je vous dis que je veux faire l'amour avec vous, croyez-moi. Mais nous ne franchirons la prochaine étape que lorsque je nous sentirai prêts.

Imogene sentit la colère pointer le bout de son nez.

— Je commence à me demander ce que vous voulez vraiment, lança-t-elle.

Il dirigea la main d'Imogene vers son érection.

— Inutile de vous le demander plus longtemps.

— Alors vous êtes masochiste !

— J'ai décidé d'être patient.

— Je le comprends très bien, mais pourquoi ?

— Si je vous affirme que mes raisons sont légitimes, il faudra me faire confiance.

— En attendant, vous êtes décidé à me rendre folle.

— J'ai décidé de vous faire ressentir ce que vous n'avez encore jamais ressenti. De vous donner un plaisir que vous n'avez jamais connu avec un autre homme.

C'était déjà fait, songea Imogene.

Elle pressa les lèvres contre le torse de Raf.

— Demain soir, ce sera mon tour, dit-elle.

— Demain soir, je ne serai pas là. Après-demain soir non plus.

Elle faillit hurler.

— Où serez-vous donc ?

— A Atlanta. Je dois y rencontrer des investisseurs potentiels.

— Je devrais peut-être vous accompagner puisque vous ne serez pas là pour me donner mes leçons.

— Mon contremaître se chargera de vous en mon absence.

— Des leçons aussi ? rétorqua-t-elle avec un air taquin.

Les traits de Raf s'assombrirent, son expression se fit sévère.

— Il aura ordre de ne vous donner que les leçons d'équitation. En dehors de cela, personne, à part moi, n'aura le droit de vous toucher.

Hum ! se dit Imogene. Quel *macho* ! Pourtant, en toute honnêteté, elle ne put retenir un frisson de plaisir à le voir si possessif la concernant, du moins aussi longtemps qu'il s'agissait de partager son plaisir.

— Très bien, admit-elle. Je travaillerai donc avec acharnement pendant votre absence.

Il déposa un baiser au creux de chacune de ses paumes.

— Nous reprendrons ceci quand je reviendrai, assura-t-il.

— Promis ?

— Vous pouvez y compter.

Un dernier baiser, et il s'éclipsa. Imogene se retrouva seule dans la chambre, les mains serrées sur la nuisette abandonnée, avec tout à la fois un sentiment profond de frustration et la conviction qu'elle devait croire aux promesses de Raf.

Elle pouvait aussi tomber amoureuse de lui… La pensée jaillit du fond de son esprit, si vive, qu'elle laissa choir la nuisette. Tomber amoureuse de lui ? Non, impossible.

Et pourtant ! Mais elle avait trop à faire dans sa vie, trop de choses qu'elle n'avait pas encore accomplies et aussi trop de peurs accumulées pour parvenir à accorder tout son temps à un homme. Et elle s'attendait à ce que Raf Shakir en demande bien plus qu'elle serait jamais capable de lui donner.

6.

Après avoir passé sa journée à faire la tournée des haras et à négocier, Raf fut heureux de retrouver sa suite à l'hôtel, même si les lieux lui parurent mornes et solitaires. Il arracha le keffieh de sa tête et le jeta de côté. Il le portait rarement, mais bien des gens s'imaginaient qu'en sa qualité de cheikh, il devait assumer son rôle. Pourtant, son héritage signifiait bien peu à ses yeux, désormais. Il préférait de beaucoup ses jeans déchirés à ses atours royaux. Pour traiter ses affaires, il avait quand même l'habitude de faire une concession au confort. Aujourd'hui avait été une journée productive de ce point de vue, même si son esprit s'était tourné à plusieurs reprises vers Génie…

Sa propre force de caractère la veille au soir l'avait surpris. Il aurait été tellement facile de se glisser dans le lit de Génie et dans son corps… Sa force avait découlé de sa détermination. Mais ce n'était qu'une question de temps. Il ne pourrait pas résister beaucoup plus longtemps et, du reste, il ne le souhaitait pas.

A peine avait-il enlevé sa cravate que le téléphone sonna, éveillant en lui une certaine excitation. Et si c'était Génie ? Il était parti avant l'aube sans lui dire au revoir, mais il avait déposé le numéro de l'hôtel sur son oreiller en même temps qu'un baiser sur sa joue, heureusement sans l'éveiller. Si elle avait ouvert les yeux et l'avait attiré entre ses bras, il aurait dû annuler son voyage. Il l'aurait rejointe dans son lit et y serait resté toute la journée jusqu'au moment où ils auraient été tous deux trop épuisés pour songer à d'autres activités. Ensuite, il lui aurait encore fait l'amour tout au long de la nuit.

Le téléphone continua à sonner. Raf respira profondément pour reprendre son sang-froid.

— Allô ?

— Il est vraiment très difficile de suivre ta trace, Raf.

La voix était familière, mais ce n'était pas celle de Génie. C'était son frère.

— A toi qui as passé la plus grande partie de ta vie d'adulte à traquer les criminels, Darin, je te signale que je réside au même endroit depuis deux ans.

— Et tu n'y es pas pour l'instant, raison pour laquelle je t'appelle. Je pense qu'il est grand temps que je te présente ma nouvelle épouse.

— Je croyais que vous deviez voyager tout l'été.

— Certes, mais en cours de route, nous avons décidé de te rendre visite.

Raf en éprouva un vif plaisir.

— Comme tu le vois, je suis à Atlanta. Je ne regagnerai pas le haras avant demain, dit-il.

— Et le hasard fait bien les choses ! Nous sommes également à Atlanta.

— Où cela ?

— Dans le foyer de ton hôtel, mon vieux. J'ai pensé que tu aimerais peut-être nous rejoindre pour passer un moment avec nous. Nous repartons demain matin.

Raf ne pouvait refuser, malgré sa fatigue.

— J'arrive dans un moment, dit-il.

— Parfait. Nous t'attendons.

Raf rafraîchit son visage, se lava les mains et remit sa veste avant de quitter sa chambre. A son entrée dans le bar, il repéra tout de suite une séduisante jeune femme rousse, toute petite à côté de son frère Darin. Celui-ci avait très peu changé depuis leur dernière rencontre, il y avait de cela un an, hormis sa coupe de cheveux, notablement plus courte. Peut-être la nouvelle femme de Darin en était-elle responsable ? Pourtant Raf n'imaginait guère son jeune frère se laissant guider dans ses choix. Mais il y avait encore deux mois, il n'aurait pas pensé que Darin pût se remarier !

En s'approchant de leur table, Raf put constater d'autres changements plus subtils, notamment dans la façon de s'habiller — toujours en noir — de Darin. En même temps, il s'aperçut que celui-ci souriait à son épouse et qu'il avait avec elle une attitude très possessive. Le calme perdu depuis la mort de sa bien-aimée fiancée était revenu sur ses traits. L'intimité au sein de leur couple était presque palpable et, si Raf n'avait pas promis de se joindre à eux, il aurait tourné les talons. A chaque pas effectué dans leur direction, une envie mêlée de culpabilité montait en lui. Après tout, Darin avait bien mérité sa sérénité actuelle. Raf devait en être heureux pour lui et, jusqu'à un certain point, il l'était. N'empêche, il ne pouvait s'empêcher d'être affreusement jaloux.

Au moment où il arrivait à leur table, Fiona leva les yeux vers lui et lui sourit.

— On ne peut pas se tromper ! Je vois très bien la ressemblance entre vous et Darin. Et est-ce que tous les hommes d'Amythra sont aussi grands que vous deux ?

Darin se leva et serra la main de son frère.

— Tu as l'air en forme, Raf, dit-il.

Prenant la main de sa femme, il ajouta :

— Voici mon épouse, Fiona. Fiona, je te présente mon frère Raf. C'est lui l'aîné mais pas forcément le plus sage.

Raf lui serra brièvement la main et s'assit en face du couple.

— Je suis heureux de rencontrer enfin la femme qui a su séduire mon frère.

— Ce n'était pas très difficile, dit Fiona qui sourit à son époux. Il a l'air réservé, mais en réalité, il peut être très insistant quand il veut !

Darin lui effleura la joue d'un baiser.

— Je ne me rappelle pas que tu te sois plainte quand je t'ai séduite, ma chérie !

— Si ma mémoire est bonne, et elle l'est, c'est *moi* qui t'ai séduit, rétorqua Fiona en passant un doigt léger sur la bouche de son mari.

De nouveau, Raf se sentit piqué par la jalousie. Il la tempéra d'un sourire.

— Combien de temps comptez-vous rester aux Etats-Unis ?

— Nous partons demain matin pour Paris, répondit Darin. Une tardive lune de miel avant de nous installer au Texas.

— Darin m'a raconté qu'il fait construire une auberge pour vous, dit Raf. Si vous décidiez de rester un peu plus longtemps à l'étranger, vous pourriez engager quelqu'un pour s'en occuper.

Darin et Fiona échangèrent un coup d'œil furtif.

— Dans un proche avenir, notre temps va être occupé par autre chose, répondit Darin.

Raf n'eut pas besoin de poser la question. L'expression de son frère reflétait une grande fierté. Le sourire de Fiona illumina ses yeux verts et lui rappela tout de suite Génie.

— Je suis enceinte, avoua-t-elle. Je ne sais vraiment pas comment cela a pu arriver.

Quand Darin se mit à rire, son visage se colora.

— Oh, bien sûr, que je le sais. Mais cela ne devait pas arriver si tôt.

Raf se tourna vers son frère.

— Je suppose que vous en êtes tous deux très heureux ?

L'expression satisfaite de Darin suffit à le lui confirmer.

— En effet, et j'espère que tu es heureux pour nous. Il est grand temps que l'un de nous ait un fils.

— Ou une fille, et ce sera une fille, dit Fiona d'un ton de certitude absolue.

— Bien entendu. Je suis très heureux pour vous deux, quel que soit le sexe de l'enfant.

Raf s'efforça de prendre un air convaincu. Même si, en cet instant, il aurait bien aimé être à la place de son frère. Mais pas au côté de Fiona. A côté de la femme qui avait des cheveux blonds, un corps magnifique et l'esprit uniquement tourné vers les affaires — sauf quand il s'agissait de faire l'amour.

Il s'agita, mal à l'aise, sur sa chaise inconfortable. Quelle que puisse être sa tendresse pour Génie, et la force de son désir pour elle, il devait se rappeler sans cesse sa résolution d'éviter de commettre l'erreur fatale : celle de se laisser aller à ses émotions avec une femme qui n'aspirait qu'à son indépendance. Pendant que Darin et Fiona évoquaient leur avenir, l'humeur de Raf s'assombrit. Par bonheur, la conversation ne dura qu'une heure au bout de laquelle Darin, avec un regard entendu vers son épouse, annonça qu'ils devaient se retirer pour la nuit. Ils se levèrent en même temps, en échangeant la promesse de rester en contact. Darin promit également d'amener Fiona au haras à leur retour en Amérique et Raf d'aller les voir au Texas. Ils se séparèrent dans le hall, car Darin et Fiona avaient pris une chambre dans un autre hôtel. Au moment où Raf tournait les talons en direction de l'ascenseur, Darin lui demanda :

— Au fait, qui est cette mademoiselle Danforth qui m'a dit où je pouvais te trouver ? As-tu renvoyé Doris ?

— Non. Ce n'est pas une gouvernante.

— Quelqu'un en particulier ? s'enquit Darin avec un sourire.

Bien plus que son frère ne le supposait, songea Raf. Plus encore qu'il ne s'en était lui-même rendu compte. Beaucoup plus qu'il ne l'aurait dû.

— Je lui donne des leçons.

— Oh, je n'en doute pas, dit Darin avec un sourire en coin vers sa femme. Peut-être pourrons-nous bientôt faire sa connaissance ?

Raf s'éclaircit la gorge.

— Elle ne séjourne au haras que pour trois semaines. C'est une question de business.

Darin prit un air déçu.

— Oh ! J'espérais que tu avais trouvé la femme idéale.

— Quand cela arrivera — si cela arrive — je te le ferai savoir.

Avant de s'éclipser, Darin lui ajouta :

— On ne sait jamais ce que l'avenir tient en réserve, frère. Aussi longtemps que tu resteras ouvert à toutes les possibilités.

Raf avait déjà pensé à son avenir. Seules les écuries y avaient leur place. Mais, maintenant, cet avenir lui paraissait lugubre s'il n'avait personne avec qui le partager. Durant toutes les années passées au côté de son frère, c'était la première fois que Raf lui enviait ce qu'il possédait : un amour partagé avec sa femme et un enfant pour transmettre leur héritage. Cette perspective lui parut aussi inaccessible que le sommeil, un sommeil qui, il en était persuadé, ne viendrait pas facilement ce soir.

Imogene fixa le téléphone un long moment. Il ne s'agissait que d'un appel amical, bon sang ! Elle n'allait pas le supplier de revenir, ni pleurer, ni même lui avouer combien il lui manquait. Elle aurait simplement voulu lui souhaiter bonne nuit. Avant de changer d'idée, Imogene forma le numéro que Raf avait laissé sur son oreiller. Au bout de trois sonneries, elle était sur le point de raccrocher lorsqu'une voix incroyablement sexy prononça un simple « allô ? » qui faillit la faire tomber du lit.

— Allô, répondit-elle. Votre journée a-t-elle été agréable ?

— Je n'irais pas jusque-là, mais on peut dire qu'elle a été fructueuse.

— Parfait. Vous m'avez manqué.

Oh, zut ! Avait-elle vraiment dit cela ? Elle reprit précipitamment :

— Ali n'est pas aussi grognon que vous. Mais j'ai l'impression d'apprécier d'être dirigée beaucoup plus que je ne l'imaginais.

— Je vous avais bien dit que vous étiez têtue. J'espère qu'à mon retour, il sera toujours à mon service.

S'il n'avait pas pris ce ton taquin, la phrase aurait rendu Imogene folle de rage.

— Je dois vous dire que je me suis comportée en élève modèle. J'ai fait aussi un brin de causette avec votre frère. A-t-il pu vous joindre ?

— Oui. Nous nous sommes vus. Il était avec sa femme que je ne connaissais pas jusqu'à ce soir.

— A quoi ressemble-t-elle ?

— C'est une très jolie femme. Ils attendent un enfant.

La note mélancolique dans la voix de Raf surprit Imogene. Il lui parut difficile de l'imaginer soupirant après une famille, mais il y avait tant de choses de lui qu'elle ne parvenait pas à comprendre. Il l'avait d'ailleurs surprise à plusieurs reprises.

— C'est génial, dit-elle. Je suppose que vous attendez avec impatience de devenir oncle ?

— Où vous trouvez-vous en ce moment ? demanda-t-il abruptement, d'une voix plus basse.

— Dans ma chambre, assise sur mon lit.

— Etes-vous en rouge ?

— En fait, j'ai un pyjama bleu. Et vous, que portez-vous ?

— Rien.

Imogene pouvait assez bien l'imaginer, hormis un seul détail, très important, parce qu'elle n'avait pas encore vu une certaine partie de son anatomie. Cela ne l'en excita pas moins.

— Dormez-vous toujours nu ? demanda-t-elle.

— La plupart du temps. Comment va votre coup de soleil ?

— Bien mieux, merci.

— Vous êtes-vous regardée dans le miroir, ce soir ?

Le regard d'Imogene fila vers le miroir puis elle s'affala sur son lit.

— Dans la mesure où il recouvre le mur entier, il serait difficile de faire autrement, dit-elle.

— Nous avez-vous vus la nuit dernière ? Ce que nous avons fait hier soir ?

Deux minutes de plus et Imogene allait arracher ses propres vêtements, à moins qu'ils ne prennent feu d'eux-mêmes au brasier des mots de Raf.

— Je doute de jamais pouvoir l'oublier.

— Alors gardez cela en tête et souvenez-vous-en. Ce n'était qu'un début. Je viendrai vous voir après-demain soir, si tout marche comme prévu. Bonne nuit, Génie.

Avant qu'elle ait eu la présence d'esprit de lui souhaiter aussi bonne nuit, la ligne fut coupée, mais la vie s'empara aussitôt du corps d'Imogene. Elle roula sur le ventre et enfouit le visage dans son oreiller pour y étouffer un cri. Tout le reste de la nuit, elle ressentit les effets du choc. Un choc sensuel induit par un homme qui savait la faire frissonner au seul son de sa voix. A son retour, s'il tenait sa promesse, elle espérait survivre à ce qu'il avait l'intention de faire avec elle, de faire d'elle…

Entre-temps, elle allait lui réserver quelques surprises de son cru. Cela commencerait dès le lendemain matin. Avec la complicité d'Ali, elle prouverait à Raf qu'elle était parfaitement capable de maîtriser un cheval… à défaut du reste !

En arrivant à SaHraa, Raf demanda à son chauffeur de le déposer aux écuries. En temps normal, il aurait d'abord regagné la maison et se serait changé, mais il était incapable d'attendre une minute de plus. Et surtout pas après avoir aperçu Génie dans l'enclos, montée sur Maurice.

Il se débarrassa de sa cravate, de son manteau et de son keffieh qu'il abandonna à l'arrière de la voiture. En se dirigeant à grands pas vers l'enclos, il défit le premier bouton de sa chemise afin de pouvoir mieux respirer, car la seule vue de Génie lui coupa le souffle. Elle était magnifique en selle, le visage encadré de mèches dorées, le menton fièrement relevé, et son corps parfait dans une forme tout aussi parfaite.

Raf se dirigea vers le portillon et, un pied sur le barreau du bas, s'emplit les yeux de sa beauté avant d'être lui-même aperçu.

— Vous pouvez continuer maintenant, dit Ali depuis le centre de l'enclos.

Génie avança de quelques mètres avant de mettre Maurice au trot. Raf s'avança et pénétra dans l'enclos gagné par une sensation de choc et d'inquiétude.

— Je reprends à partir d'ici, déclara-t-il à l'intention d'Ali d'un ton acide qui parut étonner celui-ci.

— Comme vous voudrez, Excellence, dit-il en quittant l'enclos pendant qu'Imogene en faisait le tour.

A la vue d'Ali qui s'en allait, la confusion se peignit sur les traits de Génie, jusqu'au moment où elle aperçut Raf. Leurs regards se croisèrent. Génie arrêta Maurice et sourit à Raf.

— Ah ! Vous voilà revenu ! Regardez ça.

Les yeux fixés sur Imogene qui faisait maintenant trotter le cheval, la colère que Raf avait contenue avec succès pendant plus de deux ans l'envahit. Son élève se tenait en selle avec une autorité à laquelle il ne s'était pas attendu.

Bon sang ! explosa-t-il en silence. Il aurait dû être là pour la voir franchir cette étape ! Il aurait dû être le seul à lui apprendre. Pendant un bref et irrationnel instant, il se demanda ce qu'Ali avait pu lui enseigner d'autre. Une pensée absurde : l'homme avait soixante ans, il était marié et père de six enfants. Quelle folie même de faire une telle supposition ! Mais il y avait autre chose : tout en continuant à regarder Génie rebondir sur sa selle, son sexe durcit. La brûlure du soleil et le feu qu'elle allumait en lui générèrent une pression presque intolérable. Pourtant, le besoin désespéré qu'il avait d'elle mit seulement le comble à sa fureur.

Imogene amena Maurice au centre de l'enclos et sauta à terre en vraie professionnelle.

— Eh bien, qu'en pensez-vous ? lui lança-t-elle.

L'esprit encombré d'un tissu d'émotions qu'il était encore incapable de déchiffrer, Raf ne pouvait même plus réfléchir.

— Je crois que vous en avez terminé pour aujourd'hui, dit-il.

Puis il tourna les talons et regagna l'écurie, laissant derrière lui une Génie stupéfaite.

A l'intérieur de l'écurie, Raf retrouva Ali debout dans la travée, l'air plutôt désapprobateur. Raf entra dans la stalle de Maurice et fit semblant de vérifier la paille.

— Etes-vous mécontent des progrès de Mlle Danforth ? lui demanda Ali à travers les barreaux qui séparaient la stalle de la travée.

— Elle n'est pas prête.

— Pardonnez-moi de vous contredire, mais je crois que vous avez constaté le contraire. C'est une cavalière-née.

— Sa sécurité est mon seul souci. Je ne veux pas qu'elle progresse trop vite.

— Elle va à un rythme qui convient à ses capacités.

Du dehors leur parvint le bruit des sabots de Maurice et le pas plus rapide de Génie.

— Ali, lança Raf comme ils se rapprochaient, emmène le cheval et va le laver. Ensuite, tu pourras t'en aller.

A l'entrée, Ali croisa Génie et lui enleva Maurice. Raf put les entendre murmurer et supposa qu'ils parlaient de lui. Peu importait. Il devait s'éclipser avant de faire quelque chose d'idiot ou de prononcer des paroles regrettables. Il sortit de la stalle et commença à remonter la travée en souhaitant que Génie ne se lance pas à sa poursuite, ce qu'elle ferait pourtant, il n'en doutait pas.

— Raf, attendez ! cria-t-elle, derrière lui, dans l'escalier qui montait à l'appartement.

Il ne répondit pas, ne ralentit pas sa marche, mais ne put l'éviter quand elle le suivit à l'intérieur.

— Raf ! Cessez donc de me fuir, bon sang ! dit-elle, comme il pénétrait dans son bureau.

Bien décidé à ne pas la regarder, Raf fixa les étagères derrière son bureau.

— Que voulez-vous de moi ? Que je vous félicite alors que vous avez purement et simplement ignoré mes consignes ?

— J'ai appris le trot. C'est génial ! Pourquoi êtes-vous si furieux ?

— Je suis en colère contre Ali. Je lui avais recommandé de vous faire aller au pas uniquement.

— Ne le blâmez pas. C'est moi qui l'ai convaincu de me laisser trotter.

— Il travaille pour moi, pas pour vous.

— Voudriez-vous me regarder juste une minute ?

S'il s'y hasardait, songea-t-il, il se laisserait sûrement aller à sa colère. Et il en avait bien besoin, sinon, rejetant tout bon sens, il la prendrait dans ses bras pour se débarrasser enfin de ses frustrations et du désir d'elle qui le rongeait.

— J'ai à travailler avant le dîner, jeta-t-il. J'ai besoin d'être seul.

— Je ne m'en irai pas tant que je n'aurai pas découvert la raison de tout ceci.

Raf se retourna enfin. L'expression de Génie était un mélange de confusion et d'irritation.

— La raison en est que mes directives n'ont pas été suivies. Vous auriez pu vous blesser.

— Je suis encore en un seul morceau.

Raf ne put résister. Il parcourut le corps de Génie d'un regard appuyé.

— Par chance, oui.

Génie croisa les bras sur sa poitrine pour s'abriter de ce regard.

— Cela n'a rien à voir avec la chance. Ali est un excellent professeur.

Raf fut la proie d'une nouvelle bouffée de colère.

— Alors, peut-être devrait-il me remplacer, si je ne suis pas à la hauteur de vos exigences.

— Je ne désire pas qu'il me donne des leçons. C'est vous que je désire, mais…

— Et cependant vous refusez de vous conformer à notre accord.

— Oui, mais…

— Et je crois vous avoir dit que, si vous preniez cette décision, notre accord serait nul et non avenu, n'est-ce pas ?

— Oui, vous…

— Alors, est-ce ce que vous voulez, Génie ? Voulez-vous dénoncer notre accord ?

— Non, ce n'est pas ce que je veux. Je désire juste que vous m'écoutiez. Je voulais seulement me prouver que j'en étais capable.

Imogene le regarda droit dans les yeux et avança les mains dans sa direction :

— Je l'ai fait pour vous.

Pour lui ? Lentement la colère de Raf se dissipa. Ainsi, il s'était laissé influencer par sa propre culpabilité et ses peurs ?

— Pourquoi auriez-vous besoin de mon approbation ?

Les mains de Génie retombèrent le long de ses flancs.

— Parce qu'il est important pour moi que vous soyez fier de moi. Mais je vois que je me suis trompée.

102

— Je suis déçu que vous n'ayez pas attendu mon retour pour passer à la prochaine étape. Maintenant que c'est fait, je n'ai pas d'autre choix que de l'accepter.

— Mais cela ne vous rend pas heureux, n'est-ce pas ?

Ce n'était pas le moment de lui exprimer ce qu'il ressentait : colère, regret, désir et *peur*. Oui, peur de laisser trop facilement ses émotions prendre le pas sur sa raison.

— Je suis déçu, dit-il.

— Déçu à propos de quoi, Raf ?

Génie rétrécit l'espace qui les séparait et se retrouva tout près de lui.

— Cela a-t-il vraiment quelque chose à voir avec le fait que je vous ai contrarié ? Ou bien êtes-vous déçu parce que vous me désirez et que, pour une raison que j'ignore, cela vous effraie ?

— Je n'ai pas peur de vous.

— Vraiment ? Eh bien, prouvez-le.

Alors, le peu de contrôle que Raf avait encore sur lui se rompit et, pivotant sur lui-même, il colla Génie le dos aux étagères. Puis il prit lui le visage entre ses deux mains et la força à le regarder pour tenter de comprendre ce qu'elle avait déchaîné en lui.

— Vous n'avez aucune idée de ce que vous me faites, dit-il. Ces deux dernières nuits, je suis resté éveillé des heures durant à penser à vous et à vous désirer tellement que le sommeil m'a fui. Aujourd'hui aussi, à vous voir sur ce cheval, et malgré ma fureur de constater que vous aviez ignoré mes recommandations.

Les mains de Génie se posèrent sur sa poitrine et remontèrent jusqu'à ses épaules.

— Alors, vous devez être vraiment très fatigué.

Raf lui prit la main et la fit glisser à plat le long de son torse jusqu'à son bas-ventre où il la pressa contre son érection.

— Ceci n'a rien à voir avec de l'épuisement.

Il aurait dû savoir qu'elle ne retirerait pas sa main. Il ne comprit pas tout de suite qu'elle lui desserrait sa ceinture et défaisait le bouton de son pantalon. Non sans un effort sur lui-même, Raf l'arrêta en lui saisissant le poignet.

— Non.

Elle libéra brusquement sa main et descendit sa fermeture à glissière.

Il devait mettre un terme à tout ceci, se dit Raf. Mais il ne parvenait pas à puiser assez de force en lui.

— Je n'ai rien ici pour vous empêcher de tomber enceinte, murmura-t-il.

— Ce n'est pas un problème pour moi. Je prends la pilule.

— Il y a d'autres questions de sécurité. Cela ne vous inquiète pas ?

— Le devrais-je ?

— Non.

— Mais il n'est pas question de moi pour l'instant.

Tout en lui baissant son caleçon, elle chercha ses yeux.

— Il s'agit de vous. C'est à mon tour de vous rendre ce que vous m'avez donné.

Mille protestations se frayèrent un chemin dans l'esprit de Raf puis se dispersèrent lorsqu'elle le libéra et le prit dans sa main. La sensation le submergea à tel point qu'il ne put rien faire d'autre que de s'immerger dans l'instant. Il y avait si longtemps qu'une femme ne l'avait ainsi touché ! Daliya ne l'avait jamais fait. Et sans doute personne d'autre, tout au moins avec tant de persuasion, d'application et d'oubli de soi. Dans son désir de s'occuper de ses besoins, elle en oubliait de prendre les siens en considération. Mais il allait y remédier.

— Je veux vous toucher aussi, murmura-t-il.

Quand il tendit la main vers la fermeture des jodhpurs d'Imogene, elle repoussa sa main.

— C'est pour vous seul, Raf, chuchota-t-elle. Vous en avez besoin, et moi j'ai besoin de le faire. Alors laissez-vous aller et profitez-en.

Elle accentua la cadence de sa caresse et la pression de sa main, et les hanches de Raf, incliné au-dessus d'elle, suivirent le mouvement. Il serra les dents, songeant qu'il fallait mettre fin à cela avant qu'il soit trop tard. Il voulait attendre le moment où il serait en elle. Génie n'avait aucune idée du pouvoir qu'elle avait sur lui en cet instant. Elle ne se doutait nullement qu'il aurait volontiers abandonné sa fortune pour se sentir de nouveau si bien, pour connaître une telle sensation de liberté. Et il n'eut pas la force de s'arrêter.

La jouissance imminente anéantit en lui toute pensée. La bienheureuse délivrance était en vue, mais il aurait voulu que toutes ses sensations durent très, très longtemps. Un long soupir fusa entre ses dents serrées pendant qu'il se battait contre les exigences de son corps. Il luttait pour tenir, mais il y avait une telle éternité qu'il n'avait ressenti cela. Peut-être même jamais à ce point. D'un seul coup, tous les sons s'effacèrent, hormis les battements de son sang dans ses oreilles et le halètement de sa respiration. Tous les muscles de son corps se raidirent au moment où l'orgasme le balaya avec une force inouïe à en perdre le sens. Durant une longue et bouleversante minute, deux années d'un célibat volontaire s'abolirent entre les mains d'une femme capable de l'émouvoir de bien des manières.

Toutes ses émotions — soulagement, gratitude, nostalgie — se matérialisèrent dans un baiser qui trahit la profondeur du désespoir auquel il avait été acculé. Génie s'ouvrit docilement à lui et il plongea sa langue dans la douce chaleur de sa bouche.

Raf songea qu'il ne lui avait donné que du chagrin alors qu'elle lui avait offert le don le plus suave, le plus dénué d'égoïsme, le plaisir dans toute sa quintessence. Pris d'un soudain remords, il mit fin au baiser et se détacha de Génie. Le plaisir physique et les émotions nouvelles qu'il venait de ressentir l'avaient épuisé. Il remonta la fermeture de son pantalon et se laissa tomber sur un fauteuil proche, la tête entre les mains, le cœur en émoi.

Il entendit à peine le bruit de la porte de la salle de bains qui se refermait. Mais quand Génie revint et se laissa tomber à genoux devant lui, il était de nouveau pleinement conscient. Son regard croisa celui de la jeune femme. Il lui parut évident qu'elle devinait ses efforts pour masquer ses émotions, car elle lui souffla :

— Tout va bien. Nous n'avons fait aucun mal.

— Pourtant, vous n'avez rien reçu en retour.

La main de Génie se posa avec douceur contre sa joue.

— Oh, mais si ! J'ai pu vous voir abandonner un peu de votre maîtrise, pour changer. J'ai pu vous voir ressentir autant de plaisir que vous m'en avez donné. Du moins, j'espère que c'était le cas ?

Elle ne savait pas à quel point, songea-t-il.

— Je voulais attendre que nous fassions l'amour, dit-il. C'était important pour moi.

— Pourquoi donc ? Vous aviez besoin de détente et je voulais être celle qui vous l'apporterait.

Raf se remit debout et baissa les yeux sur elle.

— Moi aussi, je voulais que vous soyez la seule à me l'offrir, mais pas ainsi.

Puis, avant qu'il soit en mesure de les arrêter, les mots sortirent en cascade de sa bouche :

— Vous êtes la seule, l'unique femme que j'ai laissée m'approcher de nouveau. La seule depuis deux ans. C'est pourquoi c'était tellement important pour moi.

Raf n'attendit pas la réaction d'Imogene et quitta la pièce. Il savait qu'il aurait sans doute à regretter cette révélation. A la suite viendraient des questions auxquelles il n'était pas certain de vouloir répondre. Nul doute en effet, que les réponses, s'il les lui apportait, démontreraient avec certitude à Imogene Danforth qu'il n'était pas l'homme qu'elle imaginait.

7.

« Vous êtes la seule femme que j'ai laissée m'approcher de nouveau. La seule depuis deux ans. »

Même le surlendemain, Imogene était bouleversée en se remémorant la phrase de Raf. Pourquoi elle ? Pourquoi maintenant ? se demandait-elle. Et surtout, quelle avait été la cause du retrait de Raf d'une vie normale ?

Il y avait tant de questions sans réponses, tant de choses qu'elle aurait voulu connaître à propos de Raf Shakir. Depuis leur interlude dans l'écurie, elle ne l'avait pas revu en dehors des leçons d'équitation qu'il lui avait données conjointement avec Ali.

Plus on est nombreux, moins on craint de risques, avait-elle commenté *in petto*. Elle s'était dit également que sa conduite avec Raf pouvait s'avérer une erreur terrible. Elle n'était pas exactement désolée de s'être comportée ainsi.

Du reste, cela avait été une première pour elle. Mais voir Raf aussi vulnérable, le voir baisser sa garde, savoir qu'elle lui avait rendu le plaisir qu'il lui avait donné, en valait vraiment la peine. Enfin presque, puisque, depuis, il continuait à l'éviter. Elle avait l'impression très nette que ses chances de faire l'amour avec lui se réduisaient désormais à néant. Malgré cela, elle devait découvrir ce qui était arrivé de si tragique dans l'existence de Raf au point de l'avoir obligé à se retirer de la vie et de n'avoir fréquenté aucune femme depuis deux ans.

Mais puisque Raf ne se laissait plus approcher, elle allait trouver quelqu'un qui pourrait lui apporter des réponses. Après avoir dîné seule encore une fois, Imogene décida de rejoindre Doris dans la cuisine. Peut-être parviendrait-elle à décider la gouvernante à lâcher quelques informations ? Elle s'approcha donc du plan de travail et se glissa sur un tabouret tandis que Doris jouait du chiffon en sifflant « Dixie », le vieil hymne sudiste.

— Que fait donc le cheikh en général le samedi soir ? s'enquit Imogene. Il joue au poker ?

Doris se retourna, le dos à la cuisinière.

— Il n'est pas du genre à jouer au poker, même s'il sait très bien cacher son jeu.

— Que voulez-vous dire ?

— Vous devriez maintenant savoir qu'il dissimule ses sentiments.

Imogene s'abstint de commenter cette information qu'elle connaissait déjà.

— L'avez-vous vu ce soir ? demanda-t-elle d'un ton léger pour ne pas laisser paraître sa curiosité.

— Il est venu ici avant le dîner pour boire une tasse de café. Il paraît que la jument qui doit bientôt mettre bas pourrait bien le faire cette nuit. Je lui ai répondu qu'elle pouvait le faire attendre encore longtemps… Quand j'ai attendu mon premier, mon mari m'a couvée du regard pendant deux semaines, mais j'ai attendu qu'il soit parti pêcher pour commencer le travail.

Doris rejeta la tête en arrière et gloussa.

— Je l'ai bien eu pour celui-là !

Imogene posa sa joue au creux de sa paume.

— J'ignorais que vous étiez mariée et aviez des enfants.

— J'ai trois enfants et une tripotée de petits-enfants. Il y a quarante ans maintenant que je suis mariée, même si Bernie Blaylock ne se rappelle pas que cela fait si longtemps.

La surprise figea Imogene sur son siège.

— Vous êtes la femme de M. Blaylock ?

Doris prit un air étonné.

— Eh oui, mon chou. Nous habitons l'un des pavillons plus loin sur les terres, près de chez Ali et de sa femme. Mais peut-être que Sa Majesté ne vous en a rien dit ?

— Non. Le cheikh n'est pas très généreux en matière d'informations.

— Oh ! Je ne parlais pas de lui, mais de mon mari. Parfois je l'appelle Votre Majesté, pour rire.

Mais Imogene n'avait pas envie de rire.

— Le cheikh Shakir a-t-il eu des enfants de son mariage ? demanda-t-elle.

— Non, mon chou. Pas d'enfants. Ils n'ont été mariés que très peu de temps avant…

Brusquement, elle s'interrompit et se retourna vers son fourneau.

— Bon, il faut absolument que je nettoie les plaques, elles sont couvertes de graisse.

Bien décidée à ne pas en rester là, Imogene quitta son tabouret et rejoignit Doris. Puis, une hanche appuyée contre le plan de travail, elle demanda :

— Ils ont été mariés peu de temps avant quoi ?

Doris lui expédia un bref coup d'œil avant de se remettre à nettoyer la cuisinière avec vigueur.

— J'en ai déjà trop dit. Si vous voulez le savoir, il faudra lui poser la question.

— Il ne me le dira pas.

L'air compréhensif, Doris se tourna vers elle.

— Alors laissez tomber, mon chou. Il vaut mieux faire silence sur certaines choses.

En d'autres circonstances, Imogene l'aurait chaudement approuvée. Après tout, elle-même faisait rarement allusion à la nuit où Tori avait disparu. Mais cette fois-ci, ses sentiments pour Raf la poussaient à en connaître davantage à son sujet avant d'en tomber encore plus amoureuse. Si, hélas, il n'était pas déjà trop tard.

— Pourriez-vous au moins me dire depuis quand son mariage a pris fin ? insista-t-elle.

Armée de son chiffon, Doris s'attaqua à un autre brûleur.

— Il est arrivé en Géorgie juste après…

Sa main se fit hésitante en même temps que ses mots.

— … juste après la fin de son mariage, il y a deux ans.

Il était manifeste que la fin de son mariage l'avait détruit au point de le pousser par la suite à fuir toute vie intime, réfléchit Imogene. Une fois de plus, elle se demanda pourquoi Raf l'avait choisie, elle, pour mettre fin à son célibat. Sans doute parce qu'il l'avait sous la main et que, d'une certaine manière, elle ne le menaçait en rien ?

Il savait qu'elle partirait au bout de trois semaines. Quand son séjour chez Raf se terminerait, il en serait de même de leur relation. Ni attaches, ni engagement à long terme. C'était parfait pour elle. Après tout, elle avait toujours son métier. Alors pourquoi se sentait-elle aussi déprimée ?

Imogene tapa sur l'épaule de la gouvernante. Doris en avait très certainement fini avec ses révélations.

— Croyez-vous, dit-elle avec un sourire, que les « garçons » s'offusqueraient si j'allais les rejoindre ? Je n'ai jamais assisté à la naissance d'un poulain.

Le sourire malin de Doris fit sa réapparition.

— Seigneur, mon chou, vous êtes vraiment une « bleue ». Que venez-vous faire sur le dos d'un cheval de haras ?

— J'apprends à monter.

Et à essayer de ne pas tomber amoureuse de mon professeur, faillit-elle ajouter.

Doris fit claquer sa langue.

110

— C'était peut-être votre raison première de venir ici, mais quelque chose me dit que vous en avez trouvé une autre pour rester.

Ou bien cette femme était fichtrement intuitive, se dit Imogene, ou bien elle-même était trop prévisible.

— Je ne pourrai pas rester à cause de mon travail. En fait, j'ai du travail à mon bureau qui s'accumule pendant que je suis là à bavarder avec vous.

Doris scruta le visage en forme de cœur qui lui faisait face et lui décocha un coup d'œil entendu.

— Le travail ne vous tiendra pas chaud la nuit, mon chou. A l'occasion, demandez au cheikh ce qu'il en pense. Bien entendu, il ne sera sûrement pas prêt à l'admettre, mais…

C'était aussi l'avis d'Imogene, mais elle pouvait toujours essayer. Il fallait d'abord aller à sa recherche et surtout le trouver seul.

En procédant par élimination et en suivant le souffle des bêtes dans leurs stalles, Imogene finit par localiser la poulinière. Quand elle entra, Ali et Blaylock se tenaient debout dans l'allée centrale. Blaylock l'aperçut et ôta sa casquette. Ali lui fit un signe de tête. Raf était accroupi dans le coin de l'immense stalle, les coudes sur les genoux, les mains serrées l'une contre l'autre. Les trois hommes paraissaient captivés par le spectacle d'une jument couchée sur le flanc dont les côtes s'élevaient et s'abaissaient au rythme de sa respiration saccadée.

— Faut-il appeler le vétérinaire maintenant ? demanda Ali.

Raf leva une main.

— Pas encore. Ali, retourne chez toi avec ta femme. Blaylock, faites-en autant mais dites à Doris de préparer du café. Cela pourrait durer encore pas mal de temps.

Imogene prit ces propos comme une incitation à s'en aller elle aussi, car Raf n'avait rien fait pour autoriser sa présence. Pourtant quand elle fit mine de suivre les deux hommes, il ajouta :

— Génie, restez ici.

Elle s'avança dans la travée pendant que les autres s'éclipsaient. Une fois devant la stalle, elle contempla Raf à travers les barreaux.

— M'avez-vous dit quelque chose ? demanda-t-elle, de peur d'avoir mal entendu.

Il lui jeta un bref coup d'œil avant de reporter son attention sur la jument.

— Entrez et tenez-moi compagnie. Je vous en prie.

Il n'eut pas à le dire deux fois. Imogene souleva le loquet, ouvrit la porte et entra d'un pas tranquille.

— Où désirez-vous que je me mette ?

Raf esquissa un sourire.

— Près de moi.

Imogene s'exécuta et plia les genoux en laissant une distance confortable entre elle et Raf. Elle était touchée qu'il lui ait demandé de rester et excitée aussi qu'il lui ait permis de partager ce moment avec lui. Elle avait également le souffle coupé à le voir simplement vêtu de son jean ordinaire, dont le bas effrangé tombait sur les talons de ses bottes, et de sa chemise en denim, les manches roulées jusqu'aux coudes.

Un silence agréable s'établit dans la stalle, à peine rompu de temps à autre par un gémissement de la jument.

— Quand le petit va-t-il venir au monde ? demanda Génie.

— Bientôt, répondit Raf.

— Depuis combien de temps est-elle comme cela ?

— Quelques heures.

— Elle n'a pas besoin d'un vétérinaire ?

— Non. C'est son dixième poulain. Elle a tendance à prendre son temps. Elle mettra bas quand elle sera prête.

— Comment s'appelle-t-elle ?

— Jasmine.

Tandis qu'ils continuaient à l'observer, la jument se redressa deux fois et remua la queue avant de se laisser retomber sur le sol. Les secondes se transformèrent en minutes, les minutes devinrent deux heures et la jument n'avait toujours pas l'air de vouloir mettre bas.

Imogene commençait à avoir des crampes dans les jambes et finit par s'asseoir sur les fesses, les mains posées sur ses genoux repliés. La litière était propre et sentait bon la sciure fraîche. Imogene jeta un coup d'œil à Raf toujours accroupi, et fut surprise de constater qu'il tenait toujours bon sur ses cuisses. Des cuisses robustes, puissantes. Il avait aussi les avant-bras les plus fantastiquement modelés et une fine toison qui courait sur sa peau tiède. Ses mains étaient également vigoureuses avec des doigts carrés et trapus. Imogene se mit à trembler en se rappelant de quelle manière et avec quelle sensualité il en avait usé sur son corps.

— Vous avez froid ?

Les yeux d'Imogene se détachèrent des mains de Raf et, seulement alors, elle se rendit compte qu'elle les avait regardées fixement et qu'elle frissonnait.

— Non, ça va.

— Voulez-vous rentrer ? Il se fait tard.

Non, elle ne voulait surtout pas s'éloigner de lui un seul instant. Même si cela signifiait rester assise par terre dans une écurie, à attendre le bon plaisir de Jasmine qui, semblait-il, n'était pas décidée à les exaucer.

— Je ne voudrais pas me hasarder à partir maintenant. Je sais que, si je le fais, elle accouchera de son petit et j'aurai tout manqué.

— Avez-vous déjà vu naître un poulain ?

— Non. En fait, je n'ai jamais assisté à aucune naissance.

— C'est un événement à ne pas manquer. Un vrai miracle. Il n'arrive pas souvent d'avoir la chance dans une vie de faire cette expérience.

— Je vais attendre, dit-elle.

Elle attendrait le bon vouloir de la jument. Elle attendrait de connaître une fois de plus la volupté des baisers de Raf. Elle était bien décidée à apprendre cela, et plus encore. Peut-être un jour parviendrait-elle à comprendre cette âme énigmatique ?

La jument hennit. Puis elle releva la tête et se mordit les flancs, attirant l'attention d'Imogene sur la houle très visible de sa panse.

— Je le vois bouger, s'exclama-t-elle. C'est incroyable !

— Et vous allez bientôt le voir venir au monde.

Raf ne se trompait pas. Le premier signe de vie se manifesta par l'apparition de deux pattes grêles, puis d'un naseau, l'air d'être directement rattaché aux pattes. Au bout de quelques nouvelles poussées, le poulain apparut enfin tout entier. La jument se releva d'un bond, coupa le cordon ombilical, puis entreprit d'enlever la membrane qui recouvrait la tête et le corps du petit. La robe mouillée du poulain était noire comme la nuit qui les environnait.

Après s'être lui aussi levé, Raf annonça que Jasmine avait donné naissance à une pouliche. Imogene se releva à son tour et le regarda essuyer le corps du petit au moyen d'une serviette avec autant de soin qu'il lui avait manifesté lorsqu'il l'avait caressée. Après avoir lutté pour se relever et être retombé deux fois, le bébé parvint enfin à rester debout sur ses pattes qui vacillaient et fit quelques pas maladroits vers sa mère. Quand la bouche minuscule se mit instinctivement en devoir de chercher son premier repas, Imogene se mit à rire. Mais quand Raf vint se placer derrière elle et lui passa les bras autour de la taille pour la serrer contre lui, elle se tut. A regarder la pouliche téter puis se coucher et s'endormir aux pieds de sa mère, un immense sentiment de plénitude envahit Imogene. Le lien entre Raf et elle en cet instant était quelque chose d'impalpable et cependant de bien réel. Elle aurait pu rester ainsi des heures durant, en sécurité dans ses bras, à contempler le délicieux spectacle.

— Elle est magnifique, prononça Raf d'un ton presque religieux.

— Oh oui. BaHar devrait être fier de son premier-né.

Imogene tourna la tête pour le regarder.

— Je suis sûre que vous aussi ferez un père merveilleux, un jour.

Un éclat de tristesse passa au fond des yeux de Raf.

— Si cela se produit jamais, dit-il.

Imogene décida alors de prendre un risque. Peut-être se révélerait-il payant ?

— Désiriez-vous avoir des enfants, votre femme et vous ?

Les bras de Raf se raidirent autour d'elle.

— Comment êtes-vous au courant pour ma femme ?

— J'ai découvert tout à fait par hasard que vous avez déjà été marié. Mais j'ignore pourquoi vous ne l'êtes plus.

— Je préfère laisser le passé derrière moi.

La voix de Raf lui parut sans timbre et dépourvue d'émotion, comme s'il s'était complètement retiré en lui-même. L'instant qu'ils avaient partagé avait volé en éclats. Un instant, Imogene songea à s'excuser d'avoir ainsi fait irruption dans sa vie personnelle. Une chance déjà qu'il n'ait pas relâché son étreinte ou qu'il ne soit pas parti.

— Vous devriez aller vous coucher, dit-il quand même au bout d'un instant en desserrant son étreinte. Il est plus de minuit. Il faut vous reposer pour notre leçon demain matin.

En se retournant, Imogene s'aperçut qu'il avait repris le masque d'impassibilité sous lequel il dissimulait ses émotions.

— Encore quelques minutes, plaida-t-elle. Je veux être certaine de me rappeler tous les détails.

La pensée de le laisser seul lui était également insupportable. Mais Raf paraissait déterminé à l'éloigner. Il défit le loquet et ouvrit la porte.

— Vous pourrez prendre des photos en souvenir quand vous partirez, dit-il.

La phrase rappela opportunément à Imogene qu'elle devrait bientôt quitter le haras et le quitter, lui, pour retourner vers le monde réel de la haute finance et des horaires interminables. Si elle ne parvenait pas à se défaire des sentiments qu'elle éprouvait pour Raf, elle aurait beaucoup de mal à se séparer de lui. Quant à lui, il paraissait hors d'atteinte, intouchable, tout au moins quand il s'agissait des affaires de cœur.

Sur cette dernière pensée, elle sortit de la stalle.

— A demain, dit-elle sans un regard en arrière.

Il ne fallait pas lui montrer à quel point elle était déçue. Il ne fallait pas rebrousser chemin et se ridiculiser en se jetant dans ses bras. Si Raf désirait reprendre là où ils en étaient restés, ce serait à lui de prendre l'initiative. Pour sa part, elle allait simplement se coucher et dormir quelques heures. Au matin, elle se réveillerait, après avoir oublié, l'espérait-elle sans trop y croire, le désir insensé d'avoir Raf auprès d'elle jusqu'à la fin de la nuit…

Et, si les circonstances avaient été différentes, pour le restant de sa vie.

Peu avant le lever du jour, le bras posé contre l'encadrement de la porte, Raf regardait Imogene dormir. Il était venu dans sa chambre quelques instants seulement auparavant, afin de lui dire qu'elle pouvait s'attarder au lit car le temps, ce samedi matin, ne se montrait guère clément pour une leçon en plein air. En l'apercevant pelotonnée sur elle-même, vêtue d'une diaphane nuisette blanche qui adhérait à ses seins et d'une culotte de satin, il s'était senti incapable de se détourner.

Elle avait l'air paisible ainsi, une main près du visage, mais le drap était massé au pied du lit comme si elle s'était battue avec au cours de la nuit, de la même façon que Raf avait combattu ses sentiments pour elle et son indéniable envie de lui faire l'amour.

Mais le laisserait-elle partager son lit après leur très récente conversation ? Il regrettait de ne s'être pas excusé en lui expliquant la raison pour laquelle il ne voulait pas évoquer son passé. Au lieu de cela, il l'avait éloignée pour éviter ses questions et sa propre culpabilité.

Il s'attarda à la porte, soupçonnant que, s'il la touchait, elle serait sans doute tiède et douce comme la soie. Il se dit qu'il devait la laisser se reposer et, cependant, il s'en sentait incapable à cause de ce qu'elle lui faisait ressentir, corps et âme. Combien de temps pourrait-il continuer ainsi, dévoré par le désir et le besoin qu'il avait d'elle, mais également par la crainte des sentiments qu'elle lui inspirait ? Combien de temps parviendrait-il encore à les nier ? A repousser Génie ?

Il ne le pouvait plus. Cette fois, il ne se détournerait pas. Il lui offrirait ce qu'il y avait de meilleur en lui. Totalement. Complètement.

Il ferma la porte et la verrouilla derrière lui, se défit de son jean et de son caleçon et traversa la chambre vers le chevet du lit. Soulevant le drap, il se coula contre le dos de Génie. Sa main glissa le long de son bras et il posa ses lèvres sur son épaule, imprimant ces instants dans sa mémoire pour se rappeler à tout jamais la sensation de sa peau, l'odeur de ses cheveux, la chaleur de son corps.

Quand enfin il lui baisa le cou, elle s'éveilla. Ses yeux s'entrouvrirent et papillonnèrent, et elle jeta un coup d'œil incertain derrière son épaule.

— Pourquoi…

Vite, Raf lui posa un doigt sur les lèvres.

— Inutile de parler. Nous avons mieux à faire pour passer le temps.

Imogene roula sur le dos et s'étira. Son visage s'éclaira tandis que la compréhension de ce qui se passait se faisait jour en elle. Sa paume effleura la mâchoire de Raf envahie par la barbe et elle lui donna un chaste baiser sur les lèvres qui n'eut d'autre effet que de l'encourager. Il la souleva pour l'asseoir devant lui puis releva le bas de sa nuisette et la fit passer par-dessus sa tête. Il prit un bref instant pour simplement la tenir, explorer de la main les surfaces planes le long de sa colonne vertébrale et savourer le contact de ses seins contre son torse. Puis il glissa les mains dans ses cheveux pour lui maintenir la tête et l'embrasser. Comme chaque fois, elle s'ouvrit à lui et sa langue joua contre sa langue. Raf se recula et aspira ses lèvres avant d'entrer de nouveau dans sa bouche, encore et encore. Il étendit Génie sur le dos et s'arrêta pour sonder les yeux d'émeraude. Imogene le contempla comme si elle devinait à quel point ces instants allaient se révéler fabuleux.

Comme il s'était langui de ce moment depuis le jour où elle était entrée dans sa vie ! songea Raf. Sa bouche descendit sur les seins qu'il lécha jusqu'au moment où il sentit les hanches d'Imogene onduler contre lui pour lui faire comprendre qu'elle en attendait bien plus encore. Il fit descendre peu à peu la petite culotte en déposant au passage des baisers sur la peau nue. Arrivé au-dessous du nombril, il se redressa et la débarrassa complètement du vêtement. Puis, les deux mains glissées sous les cuisses nues de Génie, il les souleva, puis il lui écarta les genoux pour se ménager une place. Il entendit Génie retenir son souffle et il hésita. Il voulait d'abord être certain de son désir. Si elle était d'accord, il n'y aurait alors plus de retour en arrière jusqu'au moment où il l'aurait amenée à l'ultime volupté.

La joue contre la cuisse de Génie, ses doigts s'immiscèrent dans la toison blonde entre ses jambes et il observa son visage.

Ses traits n'étaient qu'attente et, quand elle ferma les paupières, il comprit qu'elle lui offrait un acquiescement total.

— Regardez ce que je vous fais, Génie, murmura Raf.

Elle rouvrit les yeux qui brillaient de désir. Alors seulement, la langue de Raf effleura la peau tiède. Les hanches de Génie se cambrèrent, allèrent au-devant de lui, l'encourageant à se montrer plus hardi encore. Raf obtempéra et se fit plus insistant à chaque coup de langue, chaque tiraillement de ses lèvres sur ses seins, chaque douce poussée de son doigt en elle. Il releva les yeux pour voir si elle avait le regard tourné vers le miroir, persuadé qu'ainsi son plaisir et le sien en seraient plus intenses. Le corps de Raf se mit à brûler dès qu'il sentit monter en Génie les vagues d'un orgasme. Il glissa deux doigts en elle pour ressentir aussi son plaisir. Elle murmura son nom et, dans sa voix, Raf reconnut le son du plaisir le plus pur.

Elle était désormais prête à franchir la dernière étape. Il remonta le long de son ventre en disséminant une pluie de baisers et ce fut pure volonté de sa part s'il parvint à se retenir de plonger en elle. Il se contenta de l'embrasser et de lui démontrer avec sa langue ce qu'il accomplirait bientôt lorsqu'il franchirait la frontière entre le désir et son assouvissement.

— Je désire tout de vous, murmura Génie.

Ce furent ses seuls mots, exactement ceux que Raf avait besoin d'entendre et qu'elle prononça avec la même ferveur que l'envie de Raf de la pénétrer.

— Vous m'aurez tout entier, répondit-il.

Seules les gouttes de pluie qui tombaient régulièrement du toit et le grondement du tonnerre dans le lointain troublaient le calme de la pièce. Pourtant, le cœur de Raf battait à grands coups dans sa poitrine tandis qu'il entrait en elle, sachant qu'il atteignait la plénitude si longtemps attendue.

Avec un soupir, il se poussa à l'intérieur du corps de Génie, mettant ainsi fin à une existence solitaire. Il exhala un long soupir de satisfaction et resta sans bouger pour savourer la sensation du corps de Génie qui ondulait sous le sien. Jusqu'au moment où il ne put plus tenir. Il retrouva la bouche de Génie à l'instant même où il atteignait le rythme exigé par les mouvements de son corps. Il lui baisait tantôt les lèvres, tantôt les seins. Il lui souleva les hanches afin de recréer la sensation dont elle avait besoin pour connaître un nouvel orgasme. La pesanteur s'accentua entre ses jambes, les battements de son cœur le consumèrent quand Génie vint à sa rencontre, poussée pour poussée. Raf voulut ralentir la cadence et, pourtant, il ne voulait surtout pas l'empêcher de s'épanouir. Il attendit quelques secondes après son orgasme pour s'abandonner à son tour, comme cela ne lui était encore jamais arrivée.

Tendu par la jouissance, il enfouit son visage dans les cheveux de Génie étalés sur l'oreiller. Ses mains, son corps tremblaient sous l'assaut des puissantes sensations. Jamais une femme ne l'avait fait réagir avec une telle violence. Jamais auparavant il n'avait connu un désir aussi forcené.

Quand sa respiration se fut calmée, Raf roula sur le côté et étreignit Génie. Une fois de plus, ils n'échangèrent aucune parole, mais de douces caresses sur les bras, les épaules et le dos comme s'ils ne pouvaient se rassasier du contact l'un de l'autre. Ce qui était le cas de Raf.

Savoir que Génie l'avait accepté lui apportait la paix qui l'avait fui jusqu'à ce jour. Elle le tenait toujours bien serré. Elle était comme une ancre dans la tempête qui faisait rage à l'extérieur comme dans son âme.

Apaisé par la tiédeur de son corps, par la quiétude qui l'envahissait maintenant, Raf céda à l'épuisement et s'endormit, Génie entre ses bras.

8.

Debout derrière la porte-fenêtre, Imogene contemplait les chênes courbés par le vent violent et les stries horizontales de la pluie. Mais ce n'était pas le courroux de l'orage qui l'avait éveillée. Une fois encore, Tori lui était apparue en rêve. Contrairement aux autres fois, elle lui avait parlé.

« N'abandonne pas, Génie », avait-elle murmuré.

Imogene s'était réveillée en sursaut, tremblante, les joues baignées de larmes et, pour éviter que Raf ne s'en aperçoive, elle s'était levée. Elle resserra son peignoir contre elle, mais cela ne suffit pas à apaiser ses frissons. Seul Raf était capable de lui fournir la chaleur dont elle avait maintenant tellement besoin. Elle devina sa présence derrière elle avant même que ses bras lui aient enserré la taille pour l'attirer contre lui. Ses lèvres étaient douces sur sa nuque et ses mains coururent avec légèreté sur ses seins.

— Me réveiller pour me retrouver sans vous à mon côté m'a paru très désagréable, dit-il d'une voix rauque. Pourquoi vous êtes-vous levée ? Est-ce à cause de l'orage ?

Imogene décida de s'en tenir à une demi-vérité.

— Il est presque midi. D'ordinaire, je ne reste pas couchée aussi longtemps à ne rien faire.

— Appelez-vous *rien* ce que nous avons fait ?

Génie se retourna entre ses bras, heureuse de trouver un sourire et non de la colère sur le beau visage. Elle ébouriffa les cheveux de Raf déjà passablement en broussaille.

— Vous savez ce que je veux dire. J'ai été interne depuis le collège jusqu'à mon diplôme de fin d'études, et ensuite je me suis lancée dans une carrière où règne la compétition et où je me fais régulièrement botter le derrière.

— Et ce job, vous l'appréciez toujours ?

Elle haussa les épaules.

— Je suppose que c'est un supplice que je m'inflige à moi-même.

Raf n'avait aucune idée, songea-t-elle, de la vérité que contenait sa phrase.

— En outre, ajouta-t-elle, cet emploi n'est qu'une pierre angulaire. J'ai de plus vastes projets pour l'avenir.

Les yeux de Raf, du même gris que le ciel au-dehors, l'examinèrent avec attention.

— Votre travail est-il la seule chose qui vous perturbe ?

L'étrange faculté qu'il avait de lire sans cesse dans ses pensées surprit Imogene. Peut-être devait-elle lui confesser ce qui la tracassait ? Car si elle le faisait, peut-être serait-il aussi plus enclin à s'ouvrir à elle ? Plus que tout, c'était ce qu'elle désirait.

— J'ai rêvé de Victoria, ma petite sœur, dit-elle enfin. C'est ce qui m'a réveillée.

— Un cauchemar ?

— Un cauchemar qui dure depuis cinq ans. Depuis sa disparition.

Raf resserra son étreinte.

— Que lui est-il arrivé ?

Imogene prit une profonde inspiration et chassa l'air de ses poumons afin de se préparer à raconter l'horrible épisode à la seule personne à laquelle elle allait se confier, à l'exception de sa propre famille.

— Elle s'est rendue à un concert à Atlanta et personne ne l'a jamais revue, dit-elle. Elle a disparu sans laisser de traces.

— Une fugue ?

Imogene secoua la tête.

— Non. Ce n'était pas son genre. Même si elle avait songé à faire quelque chose comme ça, elle m'en aurait sûrement parlé. Nous étions très proches. Avant vous, c'est elle qui, toute petite, m'a surnommée Génie, alors qu'elle n'arrivait pas à prononcer correctement mon prénom. Et c'est moi qui suis responsable de sa disparition.

Raf fronça les sourcils.

— Comment cela ?

Imogene hésita un instant sous le regard scrutateur.

— Cela s'est passé le jour de son dix-septième anniversaire. Je devais l'accompagner au concert, mais j'étais bien trop occupée à surnager professionnellement. Je ne peux pas m'empêcher de penser que, si j'avais été avec elle, j'aurais pu empêcher ce qui est arrivé.

— Ou peut-être en auriez-vous été également victime…

Imogene se raidit entre les bras de Raf.

— Elle n'est pas morte, Raf. Je sais, cela peut sembler fou, mais je peux ressentir sa présence. Dans mon rêve, elle m'a dit de ne pas abandonner et je ne le ferai pas.

Raf l'attira contre sa solide poitrine et lui caressa les cheveux.

— Vous ne devez pas non plus cesser d'espérer si cela doit vous vous apporter la paix.

Une certaine intonation, comme un regret dans sa voix, fit croire à Imogene qu'il comprenait son chagrin. Elle voulut en connaître la raison.

— Et vous, Raf, qu'espérez-vous ? demanda-t-elle, en cherchant son regard.

— J'espère que vous voudrez bien revenir au lit avec moi et que nous continuions pendant le reste de la journée ce que nous avons déjà commencé.

Pour Imogene, la cause était entendue : Raf n'était toujours pas enclin à mettre son âme à nu. Mais au moins, il lui avait dévoilé son corps splendide et une partie de lui-même s'était pleinement réveillée. Elle laissa errer ses mains sur ses fesses nues.

— Je n'arrive pas à imaginer mieux que de passer toute une journée avec vous sous la couette, dit-elle.

Soudain, en un geste qui la prit totalement au dépourvu, il la souleva entre ses bras. Le négligé d'Imogene glissa malgré ses tentatives pour le retenir contre sa poitrine. Raf la posa avec douceur sur le lit et l'embrassa avec tendresse et dévotion. Ses mains recommencèrent à courir sur elle et sa bouche lui murmura d'abord des mots de consolation, puis de séduction qui ranimèrent le désir en elle et son besoin fou de l'aimer. Ce qu'elle fit, dans chacun de ses soupirs entrecoupés, dans chaque battement rapide de son cœur.

Au cours des quelques jours qui suivirent, Imogene se trouva prise dans une toile irréelle de plaisir charnel entre les mains de Raf Shakir. Désormais, il connaissait chaque centimètre de son corps et elle chaque centimètre du sien qu'elle avait exploré sans inhibitions des doigts et de la bouche. Elle avait appris à énoncer ses désirs et Raf n'éprouvait aucun embarras non plus à lui expliquer ce qu'il aimait et où il désirait être touché. Il s'était montré insatiable et elle en avait fait autant. Il faisait preuve d'une telle impudence qu'elle ne savait jamais quand ni où ils allaient faire l'amour.

Imogene lui avait parlé de son fantasme d'une union dans la stalle et il en avait fait une réalité un après-midi, en plein jour, leurs corps glissants de sueur sous le soleil brûlant de l'été, au risque d'être surpris, malgré les quelques vêtements qu'ils avaient gardés. Un soir, après le dîner et le départ de Doris, ils s'étaient caressés sous la table et ils étaient devenus tellement excités qu'ils n'avaient pu aller plus loin que le palier pour s'aimer. Face au miroir, Raf lui avait montré toutes les formes imaginables d'amour dont certaines auxquelles elle n'avait même pas encore songé. Jamais plus elle ne se regarderait de la même façon dans une glace. Jamais non plus elle n'aurait la même image de l'amour physique. Raf la comblait par sa maîtrise et, à chacun de leurs merveilleux rapports, il lui volait un peu plus son cœur.

Pourtant la nuit, dans la quiétude qui suivait l'amour, lorsqu'ils avaient abordé tous les sujets de la journée, quand il lui avait montré sa douceur profonde en prononçant son nom, quand il la tenait contre lui jusqu'aux premières lueurs de l'aube, venaient les moments qu'elle chérissait entre tous. Dans ces instants-là, elle comprenait qu'elle pourrait aimer cet homme sans conditions et sans préjudice de ce que leur réservait l'avenir.

Mais, tandis que Raf manifestait de plus en plus ses émotions, l'absence d'Imogene impatientait davantage Sid. Génie avait pris l'habitude d'emporter son portable partout avec elle, même pendant ses leçons, tentant d'apaiser son patron pour acheter un peu plus de temps au haras. Mais elle n'était pas parvenue à calmer sa menace de la remplacer si elle ne revenait pas au bureau.

Aujourd'hui pourtant, Imogene avait repoussé de son esprit tous ces soucis. Raf lui avait promis de lui faire franchir une nouvelle étape dans ses leçons. Parvenue près de l'enclos, persuadée qu'elle allait monter Maurice, elle retrouva Raf, monté à cru sur BaHar. Maurice n'était nulle part en vue. Imogene leva les yeux vers Raf, image sombre et impressionnante qui se découpait contre le bleu intense du ciel. Aujourd'hui, le vent était fort et rejetait ses cheveux noirs loin de son visage. A chacun des regards qu'elle dirigeait vers lui, son cœur battait la chamade. Chaque fois qu'elle pensait au peu de jours qui leur restait avant son départ, elle refusait de broyer du noir. Elle posa la main sur la cuisse de Raf.

— Où est mon cheval ? demanda-t-elle.

— J'aimerais vous montrer quelque chose avant de commencer la leçon.

— Je croyais que vous deviez m'apprendre à galoper, dit-elle en souriant.

— Oui, dans un instant. Mais d'abord, nous allons chevaucher ensemble.

Lorsqu'il lui tendit la main, Imogene faillit protester. Elle avait absolument besoin de sa leçon. Elle devait penser aux Grantham, ses futurs clients. Pourtant, comme Raf continuait à la fixer de toute l'ardeur de ses prunelles grises, tous ses arguments tombèrent.

Raf lui saisit la main et la souleva sans effort puis la plaça devant lui comme il l'avait fait la première fois qu'ils avaient chevauché ensemble, deux semaines auparavant. Cette fois pourtant, Imogene se sentait bien plus à l'aise. Ils partirent en promenade le long d'un sentier qui cheminait derrière le paddock où Jasmine paissait l'herbe grasse. Son poulain, qui n'avait pas encore de nom officiel, mais que Génie appelait Sassy, courait en cercles autour d'elle. Le pré se prolongeait par un bosquet qui bloquait presque la lumière du soleil. Tandis que Raf guidait le cheval à travers bois, Imogene s'appuya contre lui pour savourer la promenade. Ils n'étaient pas encore très loin lorsqu'il glissa la main à l'intérieur du pantalon de toile qu'elle avait mis au lieu des jodhpurs. Génie s'était demandé pourquoi il ne lui en avait pas encore fait la réflexion. Maintenant, elle comprenait.

— Raf, vilain garçon, protesta-t-elle, tandis qu'il dénouait lentement le cordon qui retenait le pantalon.

— Vous ne disiez pas ça, hier soir dans la véranda.

Il glissa la main sous la toile et du bout du doigt suivit le rebord de dentelle de son slip.

126

— Hier soir, il était tard et il faisait noir, et…

La phrase mourut sur ses lèvres, car la main de Raf descendit un peu plus bas encore, cette fois sous le satin.

— Oui, Génie ? dit Raf d'un ton amusé.

Mais sa caresse l'empêcha de répondre. Elle bouleversait ses sens, anéantissait sa volonté. Les bruits de l'après-midi se faisaient lointains tant son sang battait dans ses oreilles au fur et à mesure de l'excitation qu'il lui procurait. Il la tentait par ses paroles évocatrices et la propulsait dans un monde de plaisirs dépourvus de toute inhibition. Une fois de plus, perdue sous son emprise, Imogene laissa fuser un soupir haletant.

— Je vous assure, Raf, dit-elle, d'un ton à demi grondeur, que je vais…

— Oui, j'en suis persuadé.

L'orgasme que Raf fut capable de déclencher en elle sans le moindre effort la fit longuement frémir. Imogene ne reconnaissait plus la femme qu'elle était devenue sous son experte direction. Non seulement elle se rendait compte de tout ce qu'elle avait manqué lorsqu'elle était tout entière tournée vers son travail au jour le jour, mais elle était totalement captivée par un homme qui la traitait comme si, en accomplissant tous ses désirs et ses fantasmes, il y accordait plus d'importance qu'à n'importe quoi d'autre dans la vie. Même si elle passait des années à rechercher la même expérience avec un autre homme, elle n'y parviendrait pas. Peut-être n'aurait-elle pas besoin de se lancer dans cette quête ?

Les mains de Raf sortirent de sous son vêtement et il suivit de la langue l'ourlet de son oreille.

— J'ai eu envie de faire cela depuis la première fois où nous avons chevauché ensemble, dit-il. Vous êtes tellement réactive.

— Et vous, très, très vilain !

Elle posa la main sur la cuisse de Raf.

— Je veux vous rendre la pareille.

— Je vous le permettrai bientôt.

Soudain le téléphone d'Imogene se mit à sonner, mettant un point final à son sentiment d'euphorie.

Elle décrocha en fronçant les sourcils.

— Qu'est-ce qui ne va pas aujourd'hui, Sid, dit-elle. Vous vous êtes cassé un ongle ?

— Ah, ah ! Très drôle, Danforth. Je vous signale que Lovell menace de faire affaire ailleurs s'il ne vous voit pas très vite. Il faut que vous reveniez ici.

Imogene soupira. Lovell était un de ses meilleurs et plus riches clients. Elle ne pouvait se permettre de perdre l'affaire.

— D'accord. Prévoyez un rendez-vous pour demain matin, dit-elle.

— Il veut vous voir aujourd'hui. Que suis-je censé lui dire ?

— Soyez créatif, Sid. Racontez-lui que je suis malade ou en voyage. C'est un homme sensé. Il attendra bien vingt-quatre heures.

— Vous avez intérêt à ne pas vous tromper, Danforth. C'est votre dernière chance.

Imogene éteignit le portable et le remit dans l'étui attaché à son pantalon. Demain sonnerait le retour à la réalité et elle haïssait cette idée.

— Devez-vous vous en aller bientôt ? demanda Raf d'un ton calme.

— On le dirait, oui. J'ai tenu mon patron à distance aussi longtemps que je l'ai pu.

— Je croyais que vous appreniez à monter à cheval sur ses injonctions. Ne comprend-il pas ce que cela implique ?

Elle lui jeta un coup d'œil par-dessus son épaule.

Raf avait froncé les sourcils.

— Sid ne comprend que le pouvoir de l'argent. Donc, nous allons devoir travailler d'arrache-pied aujourd'hui, je pense ?

— Une seule journée sera insuffisante pour finir votre éducation.

Imogene ne pouvait qu'acquiescer. Plus assez de temps pour apprendre ce qu'il lui restait à apprendre. Plus assez de temps pour être avec Raf.

— J'essaierai de saisir la moindre occasion. Ou alors, je pourrais revenir samedi et reprendre là où nous en serons resté.

— Cela pourrait aller, lui accorda Raf.

Ils abordaient une éclaircie dans le bois menant à un espace débroussaillé près de la rivière. Il s'arrêta près d'un cyprès et sauta à terre avant d'aider Imogene à descendre du cheval et d'entraver BaHar. Mains sur les hanches, Imogene regarda Raf commencer à déboutonner sa chemise.

— Apparemment, observa-t-elle, la leçon est terminée pour aujourd'hui.

La main sur sa braguette, il sourit.

— J'ai pensé que c'était une journée parfaite pour aller nager. Ensuite, nous retournerons dans l'enclos pour la leçon.

Imogene jeta un coup d'œil en direction de la rivière un peu trop boueuse à son goût.

— J'imagine mal ce qui peut se cacher là-dessous, observa-t-elle, et le courant me paraît plutôt fort.

D'une secousse, Raf se débarrassa de son jean et de son caleçon et se retrouva tout nu et très… altier.

— Je ferai en sorte que vous ne vous laissiez pas emporter, tout au moins par le courant.

Comment lui résister ? C'était impossible. Imogene déboutonna sa blouse et l'enleva en même temps que son soutien-gorge. Elle eut un peu plus de mal avec ses bottes et dut utiliser un tronc d'arbre. Quand elle eut fait de même avec son pantalon et son slip, Raf était déjà dans l'eau. Il plongea pendant quelques instants puis resurgit tel un dieu marin et repoussa ses cheveux mouillés de son visage tout aussi divin. Son torse luisait au soleil, masse solide et ruisselante de beauté virile. Au moment où Imogene se préparait à le rejoindre sur la pointe des pieds entre les brindilles qui jonchaient le sol, le téléphone sonna de nouveau.

— Ne répondez pas, dit Raf, les yeux plissés par la frustration en se dirigeant vers la rive.

— Je dois savoir qui c'est, répondit Imogene.

Mais, au moment où elle pressait sur le bouton du portable pour avoir la connexion, Raf lui arracha l'appareil des mains et le souleva au-dessus de l'eau.

— Ne faites pas cela ! cria Imogene.

Mais il l'avait déjà jeté dans la rivière. Pendant quelques secondes, Génie resta bouche bée.

— Pourquoi avez-vous fait cela ? demanda-t-elle enfin.

Raf l'attira entre ses bras.

— Je ne veux plus aucune interruption.

— Ce téléphone valait très cher.

Il enfouit son visage dans le cou de la jeune femme.

— Je vous en achèterai plusieurs avant votre départ.

Pourquoi fallait-il qu'il lui rappelle qu'elle devait s'en aller ? Et pourquoi donc réagissait-elle avec si peu de conviction ?

— Je vous tiens pour totalement responsable.

Il lui prit la main et l'abaissa vers son érection.

— Je préférerais que vous teniez ceci.

Imogene eut un sourire malicieux.

— Que devient notre baignade ?

— Je m'en occupe.

Il la souleva, les jambes enroulées autour de sa taille, et l'entraîna dans l'eau. Là, il lui donna un baiser profond et prolongé en se déplaçant avec elle en une sorte de valse lente. Un vertige dû autant au mouvement qu'au fait d'être dans ses bras gagna Imogene. A la fin du baiser, Raf la fit glisser le long de son corps jusqu'au moment où elle toucha du pied le fond sablonneux de la rivière. Leurs deux corps se trouvaient collés l'un à l'autre. Imogene repoussa les cheveux noirs qui effleuraient le front de Raf.

— C'est merveilleux, fit-elle.

— J'oublie trop souvent de savourer les joies simples de la nature, remarqua Raf.

Imogene planta un baiser sur la mâchoire bleuie par une barbe naissante.

— Moi aussi. En fait, je passe la plus grande partie de mon temps enfermée à traiter des affaires.

— Et moi, je n'aime pas m'occuper des écuries. Je préférerais de beaucoup travailler avec les chevaux. Avant mon départ d'Amythra, je passais beaucoup de temps à l'entraînement.

— Pourquoi n'engagez-vous pas quelqu'un pour les questions administratives ?

— Je suis quelqu'un d'assez spécial. Je préfère m'en occuper moi-même.

La main d'Imogene erra sur son ventre puis descendit plus bas.

— En êtes-vous certain ?

Il sourit.

— Je suppose que ce n'est pas vrai pour tout.

Il laissa Imogene jouer un peu avec lui avant de lui prendre la main et de la remettre sur son torse.

— Assez, dit-il.

— Vous n'êtes pas drôle, protesta Imogene en se plaquant contre lui.

— Ce n'est pas ce que vous disiez…

— La nuit dernière, je sais.

Il sema des petits baisers le long de la mâchoire de sa compagne tandis que sa main lui caressait légèrement les seins.

— Je commence à croire que ces vêtements sont de trop lorsque nous sommes en présence l'un de l'autre. Peut-être devrions-nous nous débarrasser de cette formalité pour la journée ?

— C'est presque fait. Mais je ne suis pas certaine de vouloir monter nue à cheval. Que diraient Ali et Blaylock ?

Raf la cloua sur place d'un regard impérieux.

— Je suis le seul ici à pouvoir nous autoriser ce plaisir.

Et après son départ, songea tout à coup Imogene, trouverait-il quelqu'un d'autre pour la remplacer ? Comment pourrait-elle, de Savannah, savoir ce qu'il faisait et avec qui ? Mais pourquoi gâcher ce merveilleux intermède par de telles questions ? Juste au moment où les mains de Raf se glissaient sous ses fesses tandis qu'il l'embrassait de nouveau, Imogene perçut le bruit de sabots d'un cheval en approche.

— On vient, souffla-t-elle d'un ton affolé.

Le regard de Raf se propulsa vers la berge à l'instant où un cheval bai et son cavalier arrivaient en vue. Il remit Imogene sur ses pieds et la poussa derrière son dos afin de la dissimuler au regard d'Ali qui s'arrêta auprès d'un bouquet d'arbres, le regard pudiquement détourné.

— Pardonnez-moi de vous interrompre, cheikh Shakir, mais Mlle Danforth a un appel téléphonique qui l'attend aux écuries.

— Elle est occupée pour l'instant, répondit Raf. Dites qu'elle rappellera plus tard.

Ali leva les yeux vers le ciel.

— C'est la mère de Mlle Danforth. Elle est décidée à attendre jusqu'à ce que je ramène sa fille.

Soudain, quelque chose se contracta dans la poitrine d'Imogene.

— S'agit-il d'une urgence ? questionna-t-elle.

— Cette dame paraissait inquiète, mais elle n'a pas parlé d'urgence.

Imogene respira mieux. En cas de véritable crise, sa mère l'aurait précisé.

— Pouvez-vous lui dire que je la rappellerai dès que je serai de retour aux écuries ? dit-elle.

Ali hocha la tête, toujours sans la regarder.

— Je vais l'en informer. Et excusez-moi encore.

Puis il se détourna, mit son cheval au galop et disparut en quelques secondes.

Raf reprit Imogene entre ses bras.

— Croyez-vous qu'elle pourrait attendre encore un peu ?

Même si Imogene en mourait d'envie, elle sentait que l'appel devait être important.

— Nous pourrons reprendre sous la douche, dit-elle. Il faut que j'aille voir ce qu'elle veut.

— Bien entendu. Votre famille et votre métier sont bien plus importants que notre petite sortie.

Le ton était monocorde, sans émotion apparente, mais la tempête faisait rage dans les yeux de Raf. Il laissa retomber ses bras et commença à remonter sur la berge sans même un dernier baiser.

Pendant le trajet de retour, il resta silencieux. Imogene ne parvenait pas à comprendre la raison de cette mauvaise humeur. Elle finit par conclure que sa nature possessive avait repris le dessus. Pourtant, elle aurait attendu de lui qu'il s'adapte aux circonstances et la comprenne. Sa famille avait besoin d'elle et elle avait bien l'intention de répondre présente. Quant à son travail, il était une composante essentielle de sa vie. Certes, sa relation avec Raf devenait également signifiante. Presque trop, même. Imogene devait se rappeler que, malgré leur intimité très particulière, aucune promesse n'avait été faite. Il n'avait pas été non plus question qu'ils se revoient après son départ du haras. Cette possibilité ne se présenterait sans doute pas, sauf peut-être si elle en faisait la suggestion. Une chose à laquelle il lui faudrait réfléchir.

Laissant Raf harnacher Maurice pour la leçon, Imogene alla prendre l'appel dans sa chambre. A peine eut-elle le temps de lui dire bonjour que sa mère s'exclama :

— Imogene, tu vas bien ?

— Oui, maman. Très bien. Qu'est-ce qui ne va pas ?

— Dieu du ciel, j'ai cru que tu avais été kidnappée. J'ai entendu décrocher, puis tu as crié. J'ai imaginé toutes sortes de choses.

Bien sûr, Miranda Danforth ne pouvait pas s'imaginer ce qui était réellement en train de se passer entre sa fille et le cheikh !

— Désolée, maman, dit Imogene. Raf m'a arraché le téléphone des mains et s'en est débarrassé. Sid m'a appelée des centaines de fois et Raf commençait à en avoir par-dessus la tête d'être interrompu.

— Oh, ma chérie, je ne voulais pas t'interrompre.

— De toute manière, nous n'avions pas vraiment commencé. Avais-tu quelque chose d'important à me dire ?

— En fait, je voulais te rappeler que ton cousin Reid et Tina se mariaient samedi.

— Oui, je m'en souviens.

En réalité, Imogene avait oublié que la cérémonie avait lieu ce week-end-là.

— La réception aura lieu à Crofthaven Manor et je supervise les détails. Je pourrais avoir besoin de ton aide.

— Oncle Abraham a sûrement loué les services d'un traiteur ? Après tout, il s'agit du mariage de son fils.

— Bien entendu, mais tu sais comment cela se passe. Il faut quelqu'un pour s'assurer que tout a été correctement fait. En outre, j'ai été comme une mère pour Reid. Je veux que tout soit parfait pour lui.

Reid avait perdu sa mère dans un accident de la route très jeune. Depuis lors, les parents d'Imogene avaient été ses tuteurs ainsi que ceux de ses frères et sœurs. Imogene comprit qu'elle ne pouvait pas laisser tomber sa mère.

— C'est d'accord, maman, dit-elle. Je dois retourner travailler demain, de toute façon. Je pourrai donc venir te donner un coup de main.

— Tu es un trésor, Imogene. Je t'en suis vraiment très reconnaissante. A samedi donc, je t'embrasse.

Savoir qu'elle avait fait plaisir à sa mère donna à Imogene l'impression que la corvée en valait la peine. Enfin presque. Car dans son cœur, elle savait qu'en retournant à Savannah, elle n'aurait plus l'occasion de revenir au haras ni de rencontrer Raf, tout au moins pendant plusieurs jours.

Si leur relation devait se prolonger au-delà du week-end, elle était persuadée que Raf lui réclamerait davantage de temps qu'elle ne pourrait lui en accorder. Lui en donner moins serait déloyal. Bien entendu, il n'y avait pas fait la moindre allusion…

Alors pourquoi s'en inquiéter autant ? songea-t-elle. Pourquoi ? Parce qu'elle était profondément, irrévocablement tombée amoureuse de lui.

— Est-ce celle que vous attendiez, Raf ?

La main sur le pommeau de la selle, Raf s'arrêta, interloqué par la question d'Ali. En guise de réponse, il feignit l'ignorance.

— Je suppose que tu parles de la pouliche ? Je suis sûr qu'elle prouvera l'aptitude de BaHar à se reproduire.

— Je parlais de Mlle Danforth, comme vous le savez très bien. Est-ce que vous la considérez comme une distraction ou bien l'avez-vous choisie pour vous sauver de cette existence sans but pour laquelle vous avez opté ?

— Je me demande vraiment pourquoi tu vas te lancer dans ce genre de supposition.

— Il y a déjà un certain temps que je vous soupçonnais d'être autre chose que professeur et élève. Ce dont j'ai été témoin un peu plus tôt me l'a confirmé.

Raf serra étroitement la sangle de la selle puis la relâcha, par bonheur pour Maurice.

— Je te fais confiance pour que ce que tu as vu n'aille pas plus loin que cette conversation.

— Inutile de remettre ma loyauté en question, vous le savez. Mais répondez-moi. Va-t-elle rester ici plus longtemps que prévu ?

— Mlle Danforth s'en ira demain matin et reviendra samedi. Hormis cela, nous n'avons aucun projet pour l'avenir. Fin de la conversation.

Raf fit tomber deux fois la bride en essayant de la passer dans la bouche de Maurice et jura entre ses dents.

— Un coup de main ?

Raf leva les yeux. Ali le dévisageait avec attention.

— Je n'ai pas besoin de ton aide. Je pourrais le faire en dormant.

Ali frotta son menton barbu. Un sourire jouait au coin de sa bouche.

— J'ai bien peur que ce soit exactement ce qui vous arrive. Vous avez mal dormi, la nuit dernière ?

Raf n'apprécia pas du tout d'être ainsi harcelé.

— Je suis en pleine forme. Ne t'inquiète pas pour moi.

Ali s'adossa à la cloison de la stalle. Bras croisés, il avait tout d'un père plein de gravité.

— Avez-vous l'intention d'entraîner Mlle Danforth au galop, aujourd'hui ?

— Pas encore, répliqua Raf. Elle n'est pas tout à fait prête.

— Vous en êtes sûr ? Puisqu'il lui reste peu de temps avant son départ, je pensais qu'on aurait pu accélérer ses leçons…

— C'est à moi de décider de sa prochaine étape.

— Est-ce par excès de prudence à cause du passé ? Ou pour prolonger son séjour ici ?

En temps normal, Raf n'en aurait pas voulu à Ali de ses questions. L'homme était un excellent ami. Pourtant, en cet instant, il se sentit à bout de patience. Il n'avait vraiment aucune envie de s'entendre rappeler le passé.

— Je préfère pécher par excès de prudence, dit-il, et je ne souhaite pas en discuter davantage.

— Elle compte beaucoup pour vous, déclara Ali. Bien plus que vous n'êtes prêt à le reconnaître.

L'attention de Raf se détourna du hongre vers son ami qui ne paraissait pas décidé à abandonner.

— Tu te fais des idées, mon vieux.

— Je ne suis pas vieux au point de ne pas voir quand un homme est ensorcelé par une femme. Et vous l'êtes bel et bien, mon ami.

— Crois ce que tu veux.

Ali s'approcha de Raf et lui posa une main sur l'épaule.

— Quand votre père a perdu votre mère, il ne s'est pas arrêté de vivre. Il ne serait pas content de savoir que vous n'avez pas suivi la même voie que lui.

Raf se débarrassa de sa main.

— Regarde autour de toi. Je vis très bien.

— Pourtant vous n'avez personne avec qui le partager.

— Mon père n'en a pas éprouvé le besoin, après la mort de ma mère.

— Il vous avait, vous et Darin, et il avait aussi une maîtresse depuis longtemps qu'il a gardée jusqu'à sa mort.

— Je suis au courant, mais je ne vois pas où tu veux en venir. Sauf si tu insinues que je devrais prendre Mlle Danforth pour maîtresse.

— Ce n'est pas ce que je dis. Elle mérite mieux que cela.

Raf garda le silence, de peur, s'il ouvrait la bouche, de trahir ses sentiments pour Génie. Il désirait tellement croire qu'elle pourrait devenir une part permanente de sa vie ! Mais comment être sûr qu'elle le voudrait aussi ? Qu'elle pouvait lui faire une place dans la sienne ? Il n'était pas question de faire obstacle à ses objectifs. En outre, s'il désirait s'engager avec une femme, il refusait de n'être que… qu'une distraction.

— Comme je te l'ai déjà dit, je n'ai aucune intention pour le moment de m'engager avec qui que ce soit, dit-il d'un ton plus convaincu qu'il ne l'était au fond de lui-même.

Quand Ali s'éclaircit la gorge et lui fit un léger signe de tête, Raf jeta un coup d'œil sur sa gauche et aperçut Génie dans la travée à quelques mètres à peine. Dans quelle mesure avait-elle entendu la conversation ? se demanda-t-il. Pourtant, elle n'avait pas l'air perturbée. Peut-être après tout avait-elle été soulagée d'apprendre qu'il ne considérait pas leur liaison comme une relation durable ? Telle était du moins l'impression qu'il désirait donner. La réalité était tout autre : il voulait plus, bien plus.

Quand Génie se rapprocha d'eux, Ali saisit la longe et en donna une petite tape sur le cou de Maurice.

— Sommes-nous prêts pour la leçon ?

— Oui, répondit Raf. Votre mère va-t-elle bien ?

— Oh oui. Elle voulait me rappeler le mariage de mon cousin samedi. J'ai promis de l'aider pour la réception.

La déception s'abattit sur Raf, mais il la dissimula sous un air tranquille.

— Vous ne reviendrez donc pas samedi ?

— Je n'en aurai pas le temps.

— Et la semaine suivante ?

Elle détourna le regard.

— Il faudra que je retourne au bureau. Alors je crois que nous devrions poursuivre mon instruction maintenant.

— Vous ne pourrez pas apprendre le galop en une seule leçon.

— Je ferai de mon mieux. Peut-être pourrai-je revenir m'entraîner une fois ou deux avant d'aller impressionner les Grantham.

— Si c'est ce que vous désirez, mais je ne peux pas vous promettre que vous serez vraiment prête.

— Je n'exige de vous aucune promesse.

Un silence tomba et se prolongea. Raf le rompit enfin en déclarant :

— Alors nous sommes bien d'accord ? Aucune promesse.

Voilà qui mettait un point final à l'image qu'il s'était faite de sa relation avec Génie et de la direction qu'elle pourrait prendre. Elle ne désirait rien d'autre de lui que sa compétence. Le temps qu'ils avaient passé ensemble n'était qu'un moyen de se distraire. Il n'y avait pas de place dans la vie de Génie pour une relation suivie avec lui.

Génie à quelques pas derrière lui, Raf conduisit Maurice dans l'enclos où l'attendait Ali. Ils pénétrèrent tous trois dans l'enceinte et Génie sauta en selle sans l'aide de Raf. Mais était-elle prête pour galoper ?

— Je ferais peut-être bien de prendre la grande longe ? dit-il à Ali.

— Elle saura se débrouiller toute seule. Je lui ai déjà appris à le diriger correctement et aussi à tenir son assiette.

— Quand ?

— En votre absence. Elle est déjà prête.

Raf se fit violence pour garder son sang-froid et ne pas se laisser aller à sa colère. De nouveau, il ressentait l'impression d'avoir été rejeté par Génie. Il devait pourtant le reconnaître : Ali était un cavalier consommé et un excellent professeur, ce qui ne fit rien pour calmer son déplaisir ni son souci de la sécurité de Génie. Mais elle ne serait pas à son aise si elle s'apercevait de sa circonspection. Ce fut la raison pour laquelle il dit à Ali :

— Je vais te laisser faire maintenant.

Les sourcils bruns d'Ali s'abaissèrent.

— Vous en êtes certain ?

— Oui. Je resterai près de l'entrée pour regarder.

Et, avant de lui laisser le temps de protester, Raf gagna à grandes enjambées le coin le plus reculé de l'enceinte. De là, il observa Ali qui demandait à Génie de mettre son cheval au pas, puis au trot, et enfin au petit galop, tout en priant le ciel qu'il ne lui arrive rien. Mais sa surprise fut grande de voir avec quelle facilité elle dirigeait Maurice et se tenait dessus pendant qu'il faisait le tour de l'enclos au petit galop. En passant près de lui, elle trahit sa fierté par un sourire. Un sourire dont Raf se souviendrait longtemps, même lorsqu'elle serait partie pour de bon.

De plus en plus confiante, Génie fit le tour de l'enclos deux fois, prouvant à Raf qu'il s'était trompé sur ses aptitudes. Elle avait un don inné, pour l'équitation autant que pour l'amour. Pris par la beauté du spectacle, Raf en oublia ses craintes… jusqu'à ce que l'impensable se produise.

Un vent violent balaya soudain la poussière et les débris épars dans l'enclos, entraînant avec eux un sac en plastique qui retomba devant le cheval et sa cavalière. Maurice, qui réagissait rarement à quoi que ce soit, choisit cet instant pour oublier ce qu'on lui avait appris et ruer, déséquilibrant Génie. Elle tenta sans succès de se redresser. Bras et jambes emmêlés, battant l'air de ses mains, elle tomba dans un nuage de poussière.

A cette minute, confronté à son passé, Raf Shakir vécut une nouvelle fois la plus grande peur de son existence.

9.

Imogene tâta ses membres. Pas de bobo, autant qu'elle puisse en juger. Elle épousseta le devant de sa blouse et de ses jodhpurs, ce qui la fit éternuer à plusieurs reprises. D'un revers de main, elle essuya ses yeux larmoyants. Sa vision s'éclaircit et elle aperçut Raf, accroupi près d'elle, le regard inquiet et empli de quelque chose qui s'apparentait à la peur.

— Etes-vous blessée ? demanda-t-il.

Imogene esquissa un faible sourire en dépit de la frayeur qu'elle venait de subir.

— Tout va bien. Juste un peu contusionnée. C'est arrivé si vite ! Je n'arrivais pas à me redresser. J'ai essayé…

— Vous récupérez vite, remarqua Ali en lui rendant son sourire.

Raf s'abstint d'en faire autant et la dévisagea d'un air soupçonneux.

— Etes-vous certaine de ne pas souffrir ?

— Seulement dans mon orgueil, dit-elle.

Mais le ton sans ménagement de Raf l'avait aussi heurtée dans ses sentiments.

— N'importe, je vais appeler un médecin, déclara Raf.

— Ce ne sera pas nécessaire.

D'un bond, Imogene se remit debout et s'essuya les mains sur les fesses pour lui prouver qu'elle allait bien. Raf n'en parut pas plus satisfait et se redressa, les poings sur les hanches. Imogene jeta un coup d'œil autour d'elle et repéra Maurice. La tête entre les planches de la barrière, il tentait d'attraper quelques brins d'herbe.

— On dirait que Maurice s'en est bien remis aussi, remarqua-t-elle.

— Il est très bien, répondit Ali. Je suis surpris que le sac l'ait fait broncher. Normalement, il est très calme.

— On ne peut pas le blâmer, je pense. Je doute qu'il soit jamais allé faire des courses dans un supermarché.

Le sourire d'Ali s'élargit.

— Je devrais peut-être accrocher quelques sacs dans sa stalle, histoire de l'habituer au bruit.

— Tant que vous les remplirez de sucre, il en sera sûrement ravi.

Imogene et Ali éclatèrent de rire, mais Raf resta silencieux. Ses lèvres serrées formaient une ligne mince.

— Je crois que vous en avez assez fait pour aujourd'hui, dit-il d'une voix toujours sévère, comme s'il lui en voulait de sa chute.

— Je veux remonter en selle et recommencer, protesta Imogene.

Sous l'effet de la colère, les yeux de Raf parurent se rétrécir.

— Impossible.

— Pourquoi ? Je ne suis peut-être pas très experte en matière de chevaux, mais je sais au moins une chose : après une chute, on doit toujours se remettre en selle. N'est-ce pas, Ali ?

Bien qu'il fût mal à l'aise, ce dernier hocha la tête.

— C'est exact.

Raf les foudroya du regard l'un après l'autre.

— Je ne veux pas être tenu pour responsable du mal qui pourrait advenir. Comme je l'ai déjà dit, vous n'êtes pas prête.

— Je suis plus que prête, dit-elle, mains sur les hanches, et vous le savez. Je n'ai pas l'intention de vous rendre responsable de quoi que ce soit. Je suis une grande fille et je prends mes décisions toute seule.

— Je ne tiens pas à y être inclus.

— C'est inutile. Ali pourra rester avec moi pendant que j'effectuerai quelques tours de plus.

Le regard de Raf sauta vers Ali.

— Il ne sera pas d'accord.

Ali passa la main sur son menton barbu.

— Mlle Danforth est consciente du risque exactement comme vous, Raf. Elle devrait continuer la leçon commencée.

Sans un mot de plus, Raf se détourna et sortit de l'enclos. Il sauta en selle sur BaHar et partit au galop vers la rivière. Imogene décida de lui laisser le temps de se calmer avant de lui dire son fait. Elle tenterait de lui faire comprendre que, bien qu'elle ait apprécié le souci qu'il avait d'elle, il était injustifié. Elle était tout à fait capable de maîtriser sa tenue en selle et elle ferait ainsi en sorte qu'il soit fier d'elle. Elle rajusta la lanière qui maintenait la bombe de velours noir sur sa tête et remercia Ali.

— J'espère seulement, ajouta-t-elle, que cela ne vous attirera pas trop d'ennuis.

— Oh, je ne m'inquiète pas, dit-il. Quand il aura eu le temps de réfléchir, il reconnaîtra que nous avons bien fait.

— Je ne comprends pas pourquoi il était tellement perturbé. Il lui est sans doute déjà arrivé de voir tomber d'autres élèves. Lui-même a bien dû faire quelques chutes, de temps à autre ?

— C'est vrai, mais en réalité, il se souvient d'une élève en particulier.

Imogene ne s'était donc pas trompée : la prudence de Raf avait une raison toute personnelle.

— Une élève blessée au cours d'une leçon ?

— Pas une simple élève. Sa femme.

Face à cette révélation, le pouls d'Imogene, qui avait entre-temps repris son cours normal, se remit à galoper.

— Sa… femme a été blessée ?

— Oui. Pendant qu'il la regardait.

— Oh, mon Dieu ! Etait-ce grave ?

Une fois encore, Ali parut embarrassé.

— Mes propos pourraient être considérés comme un manque de loyauté envers un homme que je considère comme un ami. Pourtant, cela vous permettra de mieux comprendre son comportement.

Imogene suivit Ali au bord de l'enclos et, appuyée contre la barrière, se prépara à entendre ce qu'elle attendait depuis longtemps. Pourtant, elle était loin de se douter de ce qu'Ali allait lui raconter. Son ton calme était en complète opposition avec ce qu'il lui racontait sur le tumultueux passé de Raf Shakir. Il avait épousé une jeune femme très peu de temps seulement avant qu'un accident d'équitation ne lui ôte la vie.

Imogene n'eut guère besoin de détails supplémentaires— que d'ailleurs Ali ne lui fournit pas — pour imaginer combien Raf avait pu souffrir de l'horrible perte et d'un sentiment de culpabilité permanent parce qu'il s'en était cru responsable. Et dire qu'Imogene s'était imaginé que sa femme l'avait quitté ! Comment n'avait-elle pas deviné que le problème de Raf était bien plus profond ? Pourquoi son entourage s'était-il montré aussi évasif à ce sujet, et en particulier Doris ?

C'était tout simple : ils avaient tenté de le protéger. Mais Imogene était bien placée pour le savoir : quel que soit le désir de protéger du malheur un être cher, ce n'était pas toujours possible. En cet instant, elle relia le sentiment de culpabilité qu'éprouvait Raf à celui qui la poursuivait. Elle n'avait pas pu davantage protéger sa petite sœur Victoria que ne l'avait fait Raf avec sa femme, malgré toute l'attention qu'il avait dû lui prodiguer…

Il ne restait plus qu'à remonter en selle, songea-t-elle, terminer la leçon et reprendre confiance.

Pour ce qui était de la confrontation prochaine avec Raf, elle était beaucoup moins sûre d'elle-même. Qu'allait-elle lui dire ?

144

Qu'elle devait partir demain et souhaitait mettre les choses au point entre eux avant son départ ? Elle savait bien pourtant que toute possibilité de réconciliation s'était brisée en mille morceaux au moment où elle avait appris qu'elle n'avait sans doute été pour lui qu'un intermède pour essayer d'oublier la femme qu'il aimait toujours. En dépit de l'attachement profond qu'elle lui portait, Imogene se refusait à endosser ce rôle.

Finalement, tout était pour le mieux, non ? Sa vie était déjà bien remplie. Et puis, elle avait trop à faire, trop d'endroits à visiter, sa carrière à faire avancer.

Alors, pourquoi ce sentiment que rien de tout cela n'avait désormais plus d'importance ? Parce que, justement, ses sentiments pour Raf avaient obscurci son jugement et l'avaient induite en erreur. A l'évidence, Raf aimait toujours une autre femme, donc la question de leurs relations ne se posait plus. Mais restait encore une nuit. Si elle parvenait à convaincre Raf de la passer avec elle, elle l'emporterait à jamais dans sa mémoire comme un précieux cadeau. Et cette nuit, elle allait la consacrer tout entière à faire l'amour avec lui, mais cette fois selon ses propres termes.

Le vent s'était calmé pendant que Raf regagnait l'écurie avec BaHar, mais son tourment intérieur n'avait pas cessé. Voir Génie tomber de cheval avait ravivé le cauchemar qui le hantait. Même si elle ne s'était pas blessée, même s'il s'était à dessein montré particulièrement prudent, il se sentait quand même responsable de l'accident. Malgré son ardent désir, il n'avait pas été capable de la protéger de la chute. Et puis, il n'avait pas non plus été capable de s'empêcher de tomber amoureux d'elle.

S'en rendre compte lui avait paru aussi difficile que d'avoir pris conscience de son inaptitude à l'empêcher de tomber. En analysant son passé, il pouvait maintenant comprendre que jamais auparavant il n'avait été amoureux d'une femme comme il l'était aujourd'hui d'Imogene. S'il lui faisait part de ses sentiments, il se heurterait presque à coup sûr à un rejet. Il le savait bien depuis le début : elle se consacrait tout entière à sa famille et à sa carrière. Il n'avait aucune place dans son existence. Mais elle en aurait toujours une dans son cœur.

Après s'être occupé de l'étalon pour la nuit, Raf reprit le chemin de son bureau et, dans la travée, croisa Ali. Il l'informa au passage qu'il avait pourvu aux besoins de BaHar.

— A demain, lança-t-il.

— Vous ne voulez pas savoir comment s'est comportée Mlle Danforth pendant la leçon ? demanda son ami.

Raf ralentit le pas sans se retourner.

— Je suis certain qu'elle s'est bien comportée et que tu es décidé à bien me le faire savoir.

— En effet, et j'ai une question à vous poser.

— J'espère pour toi que c'est important. J'ai à travailler encore avant d'aller me coucher.

— Quand cesserez-vous de fuir, mon ami ?

La colère que Raf avait réussi à dissimuler éclata alors.

— Je ne fuis rien ni personne. J'ai juste besoin d'être seul pour réfléchir.

— Cette réflexion concerne-t-elle votre relation avec Mlle Danforth ?

— Il n'y a rien à décider.

— Alors vous ne lui demanderez pas de rester ?

Raf y avait bien songé, mais il n'aurait pu supporter d'essuyer un refus.

— Elle n'a aucune raison de rester. Elle a une vie en dehors de ce haras.

— Et vous aucune hors de cet endroit. Pourtant, vous avez l'occasion de changer le cours des choses.

— Ma relation avec Mlle Danforth…

Raf soupira et finit sa phrase en arabe.

146

— … n'est pas bonne ? dit Ali en souriant. Au contraire, mon ami, votre relation avec Mlle Danforth est exceptionnelle ! C'est la raison pour laquelle vous avez préféré prendre la fuite.

Raf répondit avec le plus de calme qu'il put rassembler.

— Nous en avons déjà parlé, Ali. Je n'ai aucune intention de m'engager dans une relation permanente avec une femme qui préférerait se trouver ailleurs. Je ne ferai pas cette erreur une deuxième fois.

Ali resta silencieux un instant, mais Raf savait qu'il n'en avait pas terminé.

— La laisser s'en aller sans chercher à connaître ses sentiments serait l'erreur la plus cruciale que vous pourriez commettre. Réfléchissez bien et longtemps, Raf. Sinon, vous devrez vivre avec davantage de regrets encore.

Raf se détourna et s'échappa vers son appartement avant d'endurer plus longtemps les commentaires d'Ali sur l'état de sa vie. Une fois assis à son bureau, il médita quand même ses paroles. Quelle que soit l'envie qu'il avait d'être avec Génie, il vaudrait mieux mettre un terme à leur relation dès demain matin. Il ne l'accablerait pas de ses sentiments et ne la forcerait pas non plus à choisir entre lui et sa liberté. Ce serait son cadeau pour la remercier de tout ce qu'elle lui avait apporté.

Raf finirait quand même bien par venir se coucher à un moment donné ! Imogene voulait du moins le croire pendant qu'elle l'attendait dans sa suite. C'était la première fois qu'elle entrait dans la chambre de Raf, l'un des seuls endroits où ils n'avaient pas encore fait l'amour, et elle fut surprise par son austérité. Des meubles en pin, solides et carrés, un dessus-de-lit bleu marine. Aucun bibelot, aucun souvenir, aucune photo de sa femme. Si elle n'avait pas mieux connu Raf, elle aurait pu en être choquée. Il n'avait pas besoin de preuves tangibles de son douloureux passé. Sa mémoire lui suffisait.

Il était maintenant minuit passé, et Génie décida d'abandonner la partie et d'aller se coucher dans sa propre chambre — seule. Elle devait se lever tôt en vue de son retour à Savannah pour son rendez-vous. Il lui faudrait d'abord passer à son appartement pour endosser sa tenue de travail. Et il lui faudrait bien une heure pour sécher les larmes qu'elle sentait déjà s'accumuler sous ses paupières.

Il y avait déjà longtemps qu'elle n'avait pas versé de larmes et elle n'arrivait pas à comprendre pourquoi elle en éprouvait maintenant le besoin. Elle n'avait pas pleuré lors de sa séparation avec Wayne. Mais elle n'avait pas été aussi profondément amoureuse de lui qu'elle l'était de Raf. Elle ne s'était pas donnée à lui corps et âme, de tout son être. Elle n'avait pas exhalé de tels soupirs quand il lui avait fait l'amour, elle ne l'avait pas désiré physiquement au point d'en avoir mal à la seule pensée de ne pas le revoir, ne fût-ce qu'une journée.

Elle le reconnaissait, elle avait passé la majeure partie de sa vie adulte à éviter le genre de situations qui se terminaient par des adieux. Celle-là, en tout cas, elle ne pouvait la contourner et elle ne permettrait pas non plus à Raf de l'éviter pour cette ultime nuit ensemble.

S'il regagnait jamais sa chambre…

La porte en s'ouvrant surprit Imogene qui se leva d'un bond du fauteuil qu'elle occupait près du lit. Raf l'aperçut et fit halte, la main sur la poignée de la porte, comme s'il hésitait à entrer, prêt à tourner les talons.

Elle leva le menton, manifestant un courage qu'elle ne ressentait pas du tout.

— Je me demandais quand vous reviendriez enfin. Où étiez-vous donc ?

Il lâcha la poignée mais laissa la porte ouverte.

— En bas, dans la bibliothèque. Je ne pouvais pas dormir et j'ai lu.

— Je ne pouvais pas dormir non plus.

A le voir vêtu d'un peignoir entrouvert et de son pyjama, Imogene n'avait qu'une envie : l'embrasser. Mais il paraissait tellement sur la réserve que son propre sentiment d'insécurité suffit à la maintenir là où elle était.

— Je pensais que nous pouvions passer la nuit ensemble puisque je m'en vais demain matin, dit-elle.

— Je ne serais pas de bonne compagnie.

— Vous l'êtes toujours, Raf.

— Voilà une affirmation contestable après cette journée.

Il paraissait las et contrit. Imogene rassembla alors tout son courage, sachant qu'elle prenait un risque en abordant ce qu'Ali lui avait appris. Mais elle ne voulait pas s'en aller avec tous ces non-dits et sans lui déclarer à quel point elle comprenait sa douleur.

— Pourquoi ne pas m'avoir dit la vérité sur la mort de votre épouse ? demanda-t-elle.

Cette fois, Raf n'essaya même pas de dissimuler sa colère.

— Qui vous en a parlé ?

— Ali. Mais ne lui en veuillez pas. Il l'a fait par amitié pour vous. J'aurais simplement préféré que vous me le disiez tout de suite.

— Je ne voulais pas être forcé de donner des explications.

— Pourquoi ? Me croyez-vous vraiment incapable de comprendre ?

Il détourna le regard.

— Le passé doit rester où il est.

Imogene lui prit les mains et les serra doucement entre les siennes.

— Certes, mais qu'on le veuille ou non, il a sa manière à lui de sortir la tête.

— Je ne suis pas d'humeur à discuter de ça.

Le ton était sec, mais il ne retira pas ses mains. Imogene lui passa les bras autour de la taille et posa la joue contre son cœur.

— Nous n'avons pas besoin de parler.

Elle leva les yeux vers lui.

— Ce soir, je n'ai envie de parler ni du passé ni de l'avenir. Je désire seulement être avec vous.

Une lueur d'hésitation passa dans les yeux sombres, puis Raf soupira et lui immobilisa le visage entre ses mains.

— Pourquoi ai-je tant de mal à vous résister ?

La main d'Imogene se posa sur la sienne.

— Parce que vous savez que nous nous sentons si bien ensemble. Pourtant, vous pourriez changer d'avis quand je vous aurai fait part de mes désirs.

Enfin, Raf sourit. D'un sourire très doux, plein d'un monde d'émotions.

— Ces désirs ont-ils un rapport avec le miroir ?

Imogene l'attira vers le rebord du lit.

— Pas ce soir. Pas de miroir. Rien que nous deux.

— Très bien, pas de miroir.

— Et je ne veux pas que vous fermiez les yeux, pas une seule minute. Je veux que vous me regardiez, Raf. Faites-moi l'amour. A moi et à moi seule.

Il lui encadra le visage entre ses mains et posa son front contre le sien.

— Je ferai tout ce que vous me demanderez, Génie. Tout.

Tant qu'il s'agirait de plaisir physique, elle savait qu'il tiendrait parole. Mais il n'était pas en mesure de lui donner l'unique chose qu'elle désirait avec tant de ferveur — son amour. En tout cas aussi longtemps qu'il n'aurait pas vaincu ses propres démons. Une éventualité qui pouvait fort bien ne jamais se produire. Malgré tout, elle allait l'aimer cette nuit et lui donner tout ce qu'il y avait en elle.

150

Debout près du lit, ils se déshabillèrent l'un l'autre et, à la lueur de la lampe de chevet, s'explorèrent du regard sans la moindre inhibition. Ils l'avaient déjà fait maintes fois au cours des deux semaines passées, mais, ce soir, l'instant pour Imogene revêtait une importance toute particulière. C'était probablement le dernier qu'ils partageraient en toute intimité.

Une fois de plus, ils s'étreignirent, puis Raf l'allongea sur le lit entre ses bras. Le baiser qu'il lui donna, profond, reflétait tout le désir qu'ils avaient l'un pour l'autre, le besoin absolu qu'ils ressentaient mutuellement.

Les yeux obstinément fixés sur son visage, Raf se fraya un chemin en elle et lui allongea les bras au-dessus de la tête pour y entrelacer leurs doigts.

Quelle douce torture, songea Imogene tandis que Raf se mouvait en elle. Quelle douce et délicieuse torture !

— C'est trop bon, souffla-t-il, les yeux dans les siens.

— Ce ne sera jamais trop bon, répondit-elle.

— Je veux que cela dure… et cela *doit* durer.

Imogene le désirait aussi… mais pour toujours.

Comme chaque fois, avec son corps, avec ses mains, Raf trouva un autre moyen de lui faire connaître, jusqu'au vertige, un nouvel assaut du plaisir. Tout de suite après, il serra les mâchoires, et Imogene put voir au fond de ses yeux sombres l'instant où l'orgasme l'emporta. Un mot qu'elle ne comprit pas s'échappa de ses lèvres puis il se laissa retomber sur elle. Elle le serra étroitement contre elle pendant qu'il frissonnait entre ses bras. Pendant un instant magique qui parut s'étirer, interminable, ils éprouvèrent la sensation de flotter. Enfin, Raf s'écarta d'Imogene et éteignit la lampe de chevet. La chambre n'était plus maintenant éclairée que par la lueur de la lune entrant par les fenêtres.

Raf s'étendit sur le dos et glissa un bras sous Imogene. Il la ramena contre sa poitrine et lui caressa nonchalamment les bras du bout des doigts. Des ombres jouaient sur les murs et sur son profil net. Il avait fermé les yeux et Imogene se demanda alors à quoi il pensait ou bien à qui. Se souvenait-il de sa femme et des instants qu'ils avaient partagés ? Regrettait-il de serrer Imogene entre ses bras et non son épouse ? Cela, elle ne le saurait jamais, et elle s'y refusait. Elle préférait repartir à Savannah avec la certitude qu'ils avaient fait l'amour l'un et l'autre sans que viennent se glisser des souvenirs importuns.

Le grondement bas du tonnerre lui parvint soudain, suivi du bruit régulier de l'averse contre les vitres. Imogene songea avec ironie que la première et la dernière fois qu'ils auraient fait l'amour l'auraient été sous un déluge. Un symbole de la tempête intérieure qui la secouait, probablement comme Raf d'ailleurs. Elle se tourna sur le côté, loin de lui, et ravala ses sanglots, surtout lorsqu'il se coula contre son dos, en chien de fusil, un bras posé sur sa hanche. Ils reposaient là tous deux comme de banals amants, et pourtant, il n'y avait rien de banal chez Raf. Sous l'attitude sévère et altière existait un homme fort et aimant — un homme au cœur blessé qu'Imogene se sentait incapable de guérir.

Mais elle refusait de gâcher de précieux instants. Tout ce qu'elle désirait, là, maintenant, c'était le plaisir d'être serrée entre les bras de Raf et d'engranger ces souvenirs au fond de sa mémoire pour pouvoir jouer de nouveau avec eux par une autre journée d'orage.

Au bout d'un moment, le rythme de la pluie se transforma en berceuse et Imogene s'assoupit. Pour la première fois depuis des années, ses dernières pensées avant de sombrer dans le sommeil ne concernaient pas sa culpabilité au sujet de la disparition de sa sœur. Toutes étaient uniquement centrées sur son amour pour le cheikh Raf Shakir.

Juste avant l'aube, Génie entre ses bras, Raf ne dormait toujours pas. Il avait compris qu'il était prêt à donner à Imogene tout ce qu'elle désirait, si elle lui en faisait la demande. Il savait pourtant depuis le début qu'elle n'exigerait rien de lui. C'était du reste la raison pour laquelle il s'était engagé dans une liaison avec elle. Mais maintenant, il avait grande envie qu'elle lui réclame quelque chose, en dehors du plaisir physique. Tout, songeait-il, même son amour. Chaque fois qu'ils s'étaient retrouvés ensemble, cet amour s'était épanoui en lui — dans le manège tandis qu'il admirait ses dons indiscutables, ou pendant son sommeil, comme en cette minute.

S'il lui était impossible de la retenir plus longtemps, il pouvait la prendre encore une fois avant le lever de ce jour qui la lui arracherait à jamais. A cette pensée, il se pressa contre le dos d'Imogene et fit glisser le drap le long de son bras puis plus bas sur l'arc de sa hanche avant de caresser ses fesses. En atteignant ses cuisses, il remonta vers l'endroit tiède entre ses jambes qu'il caressa légèrement mais avec insistance. Il comprit qu'Imogene s'était réveillée lorsqu'elle tendit la main derrière elle et lui caressa le bas-ventre tout en faisant glisser la jambe de son amant par-dessus sa hanche. Inutile de lui demander ce qu'elle voulait. Leurs désirs s'accordaient intuitivement si bien que les mots n'étaient plus nécessaires.

Raf cessa de la toucher uniquement pour se guider en elle et ne faire plus qu'un, une fois encore. Il s'efforça de ralentir ses coups de boutoir pour de ne pas se laisser aller trop tôt. Imogene gémissait de plaisir et ils bougèrent ensemble sur le rythme qui était le leur. Plus rien n'importait maintenant que l'union parfaite de leurs deux corps. Génie atteignit l'extase la première et attira Raf plus profondément en elle. Abandonnant alors toute résistance, il laissa les spasmes du plaisir l'envahir.

Le corps enfin apaisé, il retourna Génie vers lui et chercha sa bouche, s'efforçant d'imprimer au fond de sa mémoire son goût et la texture de sa langue. Puis il s'écarta et croisa son regard. Ses paupières étaient mi-closes.

— De grâce, souffla-t-elle, dites-moi que ce n'est pas encore le matin.

De nouveau, il lui baisa doucement les lèvres.

— Pas encore, mais bientôt.

Une main sur la bouche, elle ferma les yeux et dissimula un bâillement.

— Parfait, car je ne suis pas encore prête à me lever.

Raf n'était pas prêt non plus à la laisser partir, mais comment le lui dire sans se heurter à un refus ? Il se contenta de murmurer ces mots dans sa propre langue.

Imogene rouvrit brusquement les yeux.

— Qu'avez-vous dit ?

— Que vous devriez vous rendormir, répondit-il, le goût amer du mensonge dans la bouche.

Il la reprit dans ses bras et lui caressa la tête jusqu'au moment où il sentit son corps se détendre contre le sien. Sa respiration se ralentit et devint régulière. Raf maudit alors sa lâcheté et son incapacité à formuler ses émotions parce qu'il avait peur. Si seulement il connaissait un moyen, n'importe lequel, de la convaincre de rester ! Mais il doutait de trouver des paroles assez persuasives. Sauf si…

— Vous voulez que je fasse quoi ?

— Que vous veniez travailler avec moi.

— Pour quoi faire ? demanda Imogene, la main sur la poignée de la portière.

— Pour gérer l'affaire pendant que je dresse les chevaux. Cela pourrait constituer un assez beau défi pour vous.

Un peu plus tôt ce matin-là, alors qu'ils prenaient leur douche ensemble, il l'avait avertie qu'il avait quelque chose à lui demander avant son départ. Puis il avait laissé durer le suspense pendant le petit déjeuner.

— J'ai un travail, répliqua-t-elle, le cœur gros. Alors merci quand même pour l'offre.

Le bras posé sur le toit de la voiture, Raf affectait un air confiant, presque insolent.

— Je vais vous laisser le temps d'y réfléchir. Appelez-moi quand vous aurez pris votre décision.

— C'est déjà fait. C'est non, merci. J'ai de grands projets.

Dont le premier était de sangloter comme un bébé dès qu'elle l'aurait quitté ! Elle vérifia l'heure à sa montre pour éviter les yeux scrutateurs de Raf.

— Il faut que j'y aille maintenant.

Au moment où elle ouvrait la portière, Raf la referma du plat de la main.

— Nous n'avons pas discuté de l'endroit et du jour où on doit amener BaHar à la ferme de vos clients.

— BaHar ? répéta Génie, croyant à une erreur.

— Oui. Vous avez bien dit que vous désiriez une excellente monture pour impressionner vos clients ? Vous devez admettre qu'il est très impressionnant, non ?

— Mais vous aviez dit que personne n'avait le droit de…

— D'y toucher, je sais.

Il tendit la main et lui lissa les cheveux derrière une oreille, un geste familier qu'Imogene aimait.

— Je crois en vous, Génie. Je sais que vous ne décevrez pas vos clients. Et moi non plus.

Une grosse boule se forma dans la gorge de Génie.

— Vous avez réellement une si grande confiance en moi ?

— Oui, tout à fait. Vous avez fait la preuve de vos capacités.

Raf lui décocha un sourire qui donna à Imogene l'envie de se jeter dans ses bras.

— Vous m'avez convaincu de vos compétences. C'est la raison pour laquelle je vous ferai confiance pour gérer mon affaire.

Oh ! Comme Imogene aurait adoré tourner le dos à ses responsabilités et lui dire oui ! Mais il fallait être forte et ne pas prolonger plus que nécessaire cette véritable agonie.

Elle ne voulait pas travailler avec lui, elle voulait l'aimer et être aimée de lui. De nouveau, elle ouvrit la portière. Cette fois, il ne l'arrêta pas.

— En fait, annonça-t-elle, j'ai l'intention de dire la vérité aux Grantham. Je leur avouerai que j'ai très peu l'expérience des chevaux et que je n'en possède aucun. J'ai pensé qu'en l'occurrence, c'était la meilleure politique à adopter. S'ils ne sont pas sensibles à mon sens des affaires, alors je ne veux pas de leur clientèle.

— En êtes-vous certaine ?

— Oui.

— Dans ce cas, vous avez perdu votre temps, ici.

La voix grave de Raf, et surtout ses paroles, firent palpiter douloureusement le cœur d'Imogene.

— Croyez-moi. Je ne considère pas du tout ces deux dernières semaines comme une perte de temps. J'y ai appris beaucoup sur moi-même et sur ce que je désire.

Raf lui posa les mains sur les épaules et étudia son expression. Une émotion inconnue se reflétait dans ses yeux.

— Et que désirez-vous, Génie ?

« Vous. »

Le mot interdit brûla la bouche d'Imogene.

— Je désire travailler dur et être la meilleure dans mes activités. J'ai également l'intention de me pardonner pour ce qui est arrivé à ma sœur. J'ai compris que je n'étais pas responsable de ce qui lui est arrivé, même si je continue à espérer qu'on la retrouvera un jour. C'est vous qui, en quelque sorte, m'avez appris cela.

Elle poussa un soupir.

— Maintenant, j'ai une faveur à vous demander.

— De quoi s'agit-il ?

Elle lui prit le menton au creux de sa paume.

— Je désire que vous vous donniez aussi l'absolution. Vous n'auriez pas pu prévoir ce qui est arrivé à votre femme. Je veux que vous soyez heureux.

Raf l'enlaça et la serra très fort contre lui. Lorsqu'il la laissa aller, Génie eut l'impression qu'il allait dire quelque chose. Mais il fit un pas en arrière et lui maintint la portière ouverte.

— Faites attention à vous, Génie. Appelez-moi si vous changez d'avis à propos de mon offre.

Eh bien voilà, songea Imogene en grimpant dans la voiture tandis qu'il claquait la portière sur elle. Mais elle n'avait pas l'intention de s'en aller sans obtenir de lui une dernière petite chose.

Elle baissa la vitre.

— Un baiser d'adieu, cheikh Shakir ?

Raf se pencha et l'embrassa avec une telle ferveur qu'elle fut à deux doigts de sortir du véhicule et de mettre son cœur à nu. Consumée par ce baiser, elle finit par démarrer. Raf se détourna sans même un adieu.

Cela convenait très bien à Imogene. Le mot hideux n'avait pas été prononcé, même s'il avait toute sa réalité. Tout en roulant vers la route, elle jeta un coup d'œil dans le rétroviseur. Debout sous le porche, Raf la regardait s'éloigner et, tout de suite, elle regretta de ne pas lui avoir avoué son amour.

Même s'ils n'avaient pas réussi à forger une relation à long terme, Imogene savait qu'elle devait faire crédit à Raf du sentiment de libération qu'il lui avait apporté. Il lui avait permis de remettre en question sa propre vie et ce qu'elle attendait vraiment de l'avenir. Au cours des deux dernières semaines, elle avait conscience d'avoir changé. La métamorphose avait été longue à venir. Désormais, il lui restait à décider quels autres changements seraient nécessaires.

10.

— Que diable croyez-vous être en train de faire, Danforth ?

Imogene leva les yeux du bloc-notes où elle avait gribouillé le nom de Raf.

— Ravie également de vous voir, Sid, répondit-elle à son patron, debout dans l'encadrement de la porte.

La fureur empourpra encore davantage le visage déjà rougeaud de Sid.

— Je viens de recevoir un coup de fil de Grantham, lança-t-il. Il m'a dit que vous lui aviez raconté le mensonge concernant vos dons à cheval.

Imogene lâcha son crayon et le regarda rouler vers le bord du bureau.

— C'est exact, Sid. Je leur ai dit la vérité, et vous savez quoi ? Ça ne les a pas du tout mis en colère.

— Peut-être pas contre vous, mais contre moi, c'est sûr. Aviez-vous besoin de leur avouer que c'était mon idée ?

— En fait, je n'ai rien dit de tel. M. Grantham a dû se forger cette opinion tout seul.

Sid serra les poings et la foudroya du regard.

— C'est fini, Danforth. Vous… Vous êtes…

— Virée ?

Imogene plaqua les mains sur son bureau et se leva.

— Vous ne pouvez pas me virer, Sid, parce que c'est moi qui m'en vais. J'ai déjà envoyé ma lettre de démission à votre beau-père en lui expliquant mes raisons.

— Vous n'avez pas le droit de me faire ça !

Imogene retira sa veste du dossier de son fauteuil et l'enfila.

— Je viens juste de le faire. Voyez-vous, je sais gérer les horaires, le manque de sommeil, mais pas la duperie.

Sans un regard en arrière, elle franchit la porte avec un surprenant sentiment de liberté pour une personne désormais au chômage.

Au chômage ? Pas forcément. Car elle avait une autre perspective d'emploi. Mais il n'en était pas question. Elle refusait de travailler pour Raf si c'était le seul rôle qu'il voulait lui faire jouer dans sa vie.

C'est fou ce qu'elle avait changé, songea-t-elle. Quelques semaines auparavant, elle aurait repoussé tout ce qui pouvait l'éloigner de son job ou de sa famille, même pour une relation avec un homme. Pourtant, c'était exactement ce qu'elle désirait maintenant : que Raf s'engage avec elle. Mais pas tant qu'il ne se serait pas débarrassé du chagrin qui l'aveuglait et de la culpabilité enfouie au plus profond de lui-même.

Imogene refusait d'être un substitut. Elle voulait être prise pour ce qu'elle était. Tant que Raf ne se serait pas décidé à le faire — si cela arrivait jamais —, elle garderait un profil bas et attendrait. L'attente, elle en était persuadée, risquait d'être longue, très, très longue.

Le lendemain, Raf était attablé dans l'office, son assiette intacte devant lui. Pour l'instant, il n'éprouvait aucun besoin de manger, pas plus que de compagnie. Mais Doris, Blaylock et Ali se serraient autour de lui comme s'ils attendaient de sa part une phrase d'excuse pour son silence obstiné et son manque d'appétit.

Il repoussa son assiette et prit sa tasse de café en espérant qu'ils l'abandonnent à ses remords. Au lieu de cela, Doris se pencha vers lui avec un regard furibond.

— Va-t-elle revenir ?

Raf évita ses yeux et fixa le journal financier qu'il faisait semblant de parcourir.

— Non.

— Et vous l'avez laissée partir comme ça ?

Le ton incrédule de Doris obligea Raf à relever les yeux vers elle.

— Je n'ai pas eu voix au chapitre. Son métier exige beaucoup de son temps. Elle n'avait aucune raison de rester.

— Oh, bon sang, marmonna Doris, alors vous ne lui en avez pas donné une ?

— Je lui ai fait une offre qu'elle a refusée.

— Elle n'a pas voulu vous épouser ?

— Doris, intervint Blaylock d'un ton d'avertissement, cela ne te regarde en rien.

— Allons, Bernie, il faut bien que quelqu'un s'occupe de lui éviter de commettre la plus grande erreur de sa vie !

— Précisément, déclara Ali à son tour. Je lui ai dit la même chose.

Sous le calme apparent de Raf, la colère refit surface, menaçant d'exploser et de se traduire par une longue série de jurons. Tout à coup, il avait l'impression d'être en face d'un jury qui venait de le déclarer coupable avant même de lui laisser le temps d'exposer son cas.

— Je n'ai pas demandé à Mlle Danforth de m'épouser. Je lui ai offert de travailler pour moi.

Doris leva les yeux au ciel.

— C'était bien la peine d'avoir bénéficié de toute cette éducation européenne, si chic, si vous n'avez même pas retenu comment faire la cour à une femme !

160

Elle montra la porte du doigt.

— Bernie et Ali, allez donc travailler pendant que je donne au cheikh une rapide leçon sur la manière de séduire une femme.

L'air très mal à l'aise, Blaylock se frotta la nuque.

— Doris, je ne crois pas que le cheikh…

Cette fois, Raf balaya ses protestations.

— Laissez-la dire ce qu'elle a sur le cœur. De toute façon, elle le fera.

Dès que les deux autres eurent tourné le dos, Doris croisa les bras sur son ample poitrine et se rassit.

— Bon, alors qu'est-ce que vous comptez faire pour qu'elle revienne ? demanda-t-elle.

— Si elle désire revenir, elle le fera sans mon intervention.

— Je ne veux pas dire de la ramener enchaînée. Il faut simplement la convaincre par des mots et des actes. Dites-lui ce que vous ressentez.

C'était l'évidence même. Raf aurait dû s'y résoudre cette dernière nuit, au tout dernier moment, avant de la laisser partir.

— J'ai bien peur d'avoir gâché mes chances, reconnut-il. En outre, je dois attendre de voir si elle revient de son plein gré.

— Bon sang, mon garçon, vous n'avez pas le temps d'attendre ! Allez donc la chercher.

— Je n'ai aucune idée de l'endroit où la trouver.

L'excuse était faible. Il avait les moyens de la localiser n'importe qui. Seulement, il n'était pas sûr qu'elle désire entendre sa voix. Après tout, elle ne s'était pas souciée de lui donner son adresse ou son numéro de téléphone. De son côté, il ne lui avait rien demandé non plus.

Doris s'empara des pages mondaines du journal, les tourna dans sa direction et pointa du doigt l'article en première page.

— Il y a une réception ce soir dans la propriété de son oncle pour le mariage de son cousin. Elle y assistera.

Raf se rappela soudain qu'Imogene lui en avait parlé, puisque c'était la raison pour laquelle elle avait décidé de ne pas revenir au haras aujourd'hui prendre sa dernière leçon.

— Je ne suis pas invité, objecta-t-il.

— Vous croyez vraiment qu'ils vous mettront à la porte si vous n'avez pas de carton d'invitation ? Il vous suffit d'enfiler votre tenue de prince, de leur dire que vous connaissez Mlle Imogene et de leur donner quelques billets. Ils vous laisseront entrer.

Raf ne put dissimuler un sourire devant le sérieux de son expression.

— Et une fois dans les lieux ? s'enquit-il.

Doris poussa un soupir exaspéré.

— Il faut donc tout vous dire ? Vous la retrouvez et vous lui dites que vous désirez qu'elle revienne. Définitivement. Sauf si vous ne l'aimez pas, mais j'en doute fort. C'est écrit partout sur votre visage.

Raf se frotta la joue. Il éprouvait une forte envie de mentir, mais il se rendit compte que Doris devinerait son manège.

— Mes sentiments sont-ils aussi visibles ? demanda-t-il, un peu gêné.

— Peut-être pas pour tout le monde, mais je suis femme et les femmes connaissent ces choses-là. Elle aussi est amoureuse de vous.

Raf ne put dissimuler sa surprise.

— Elle vous l'a dit ?

— Bonté divine, elle n'en avait pas besoin ! Je pouvais m'en rendre compte chaque fois qu'elle vous regardait. Chaque fois que vous vous regardiez. Je n'ai jamais vu deux personnes aussi têtues et aussi dépourvues de cervelle. Il est grand temps de vous débarrasser de votre amour-propre mal placé.

— Et si elle refuse, que dois-je faire ?

— Elle ne vous refusera pas. Et si jamais elle le fait, j'aurai aussi une longue conversation avec elle.

Jusqu'à ce moment, Raf ne s'était jamais rendu compte à quel point les conseils d'une femme lui avaient manqué durant sa vie adulte. Sa mère était morte en donnant la vie à son frère et il n'avait donc jamais connu les soins maternels en dehors de ceux d'une kyrielle de gouvernantes. Il appréciait Doris plus qu'il ne voulait en convenir et le moins qu'il pouvait faire était de suivre ses avis. Il prierait également pour qu'elle ne se trompe pas sur les sentiments de Génie à son égard.

La réception battait son plein. Imogene était assise dans la salle de bal décorée de Crofthaven Manor, posant un œil indifférent sur les invités. Personne ne paraissait s'apercevoir qu'elle était seule, une flûte à champagne vide à la main. Les mariés, rayonnants de bonheur, semblaient incapables de remarquer qui que ce soit en dehors d'eux-mêmes. Sa cousine Kimberly, autrefois sa meilleure amie, lui avait parlé une seule fois et très brièvement, avant de rejoindre son mari, Zack Sheridan, sur la piste de danse, où Harold et Miranda, ses propres parents, accrochés l'un à l'autre, dansaient sur leurs valses favorites.

Décidément, se surprit à penser Imogene non sans une petite dose de jalousie, le monde entier était amoureux ! Elle aussi du reste, à la différence près que celui qu'elle aimait était absent de sa vie, sinon de ses pensées. Elle avait été tentée de l'appeler dans l'après-midi pour lui annoncer qu'elle avait renoncé à son emploi et qu'elle était en mesure de reconsidérer son offre. Mais elle voulait tellement plus de sa part.

Un soupir s'échappa de ses lèvres et elle tapota le bord de sa flûte d'un ongle verni avec soin d'un rouge assorti à sa robe de mousseline. Elle avait choisi cette couleur en pensant à Raf qui lui avait dit à plusieurs reprises qu'il la préférait en rouge. Ce qui était tout à fait stupide, puisqu'il ne la verrait jamais dans cette robe.

Une légère tape sur son épaule la fit sursauter. Elle jeta un coup d'œil derrière elle et reconnut le visage familier et affectueux de son frère Tobias.

— Puis-je me joindre à ta délectation morose ? s'enquit-il.

Imogene tira la chaise à côté d'elle.

— Je t'invite. Mais je ne suis pas triste.

Tobias s'assit.

— En es-tu certaine ? On dirait que tu viens de perdre ton meilleur ami.

— Je suis fatiguée, répondit Imogene. Je viens de passer deux journées assez difficiles.

Et que dire des nuits !

— Maman m'a raconté que tu prenais des leçons d'équitation dans un haras des environs. Tu aurais dû m'appeler. J'aurais pu te donner des leçons.

— Pas question, Tobias. D'abord, je n'avais pas le temps de me rendre dans le Wyoming. Ensuite, nous nous entendons bien toi et moi tant que tu n'essayes pas de me dire ce que je dois faire. Enfin, tu es très occupé par l'éducation de ton fils.

Imogene jeta un coup d'œil autour d'elle et nota l'absence de son neveu.

— Au fait, où est donc Dylan ?

— La gouvernante l'a mis au lit. Il n'est pas à son aise quand il y a du monde.

— A-t-il fait des progrès ?

— Non, il ne parle toujours pas. Mais je pense que cela viendra un jour, même si, parfois, je me demande si je fais bien ce qu'il faut.

Le cœur d'Imogene se serra en entendant ces mots. Son frère avait consacré sa vie à élever son enfant de trois ans, si précoce pour la musique, mais qui avait cessé de parler depuis le départ de sa mère.

— Tu es un père génial, dit-elle. Dylan a de la chance de t'avoir.

— Je fais tout ce que je peux, mais beaucoup de gens affirment qu'il a besoin de sa mère.

— C'est vrai, mais apparemment, c'est sa mère qui n'a pas besoin de lui. Après tout, c'est elle qui l'a abandonné.

Le regard de Tobias se détourna vers la piste de danse et il ne répondit pas. Imogene supposa qu'il préférait éviter toute allusion à son ex-épouse obsédée par son ascension sociale et qui n'avait su que faire d'un rancher. Après leur séparation, Sheila était partie en Europe, sur la Côte d'Azur, avec un quelconque play-boy.

Bon débarras ! avaient pensé Imogene et le reste de la famille. Mais Imogene redoutait malgré tout que Tobias ne se remette jamais de ses blessures, tout comme Raf.

Imogene fronça les sourcils. Combien de fois avait-elle pensé à lui aujourd'hui ?

— Qu'est-ce qui te tracasse, Génie ? lui demanda Tobias.

Elle haussa les épaules.

— Cette atmosphère m'est insupportable. D'ailleurs, il y a une heure et demie au moins que je n'ai pas vu oncle Abraham et je pense que lui aussi en a assez. Pourtant c'est lui qui devrait se mêler aux autres pour le bien de sa campagne.

Tobias regarda par-dessus son épaule.

— Je vois ce que tu veux dire. Tout le monde ici va par deux, ce qui laisse les pauvres enfants d'Harold Danforth face au désastre de leur vie affective.

— Pas tous, Tobias, dit Imogene avec un geste en direction de la piste de danse où leur frère Jacob et son épouse Larissa se serraient l'un contre l'autre.

— C'est vrai, Jacob a l'air diablement heureux et je le suis pour lui.

Un besoin de s'évader incita soudain Imogene à se lever et elle glissa la lanière de son sac de satin par-dessus son épaule.

— Je vais aller prendre l'air. Tu m'accompagnes ?

Tobias se passa la main dans les cheveux.

— Je crois que je vais rester ici un petit moment. Peut-être arriverai-je à saisir au vol papa et maman entre deux danses ?

— Alors, à plus tard.

Avec l'impression subite d'étouffer, Imogene se fraya un chemin dans la foule jusqu'à l'entrée principale. Là, elle prit l'escalier en spirale qui menait aux chambres. Combien de fois Victoria et elle avaient-elles joué sur ces marches, au grand dam de la gouvernante qui leur criait qu'elles allaient se casser le cou ! Des souvenirs doux-amers lui serrèrent le cœur, et sa mélancolie empira lorsqu'elle pénétra dans l'une des salles de bains pour se refaire une beauté et recouvrer son calme.

En apercevant son reflet dans la glace, d'autres images lui revinrent à la mémoire — la vision de Raf lui faisant l'amour pendant deux nuits jusqu'à l'aube, face au mur tapissé de miroirs. Raf enfin, debout sous le porche, et son regard qui la suivait, au moment où elle s'en allait.

Ses yeux se gonflèrent des larmes qu'elle avait tenté avec tant de soin de réprimer. Elle les laissa librement couler le long de ses joues, avant de se blâmer pour sa faiblesse. Bientôt, Raf serait une part lointaine de sa vie — une délicieuse part, extraordinaire même — un souvenir qui ne la quitterait plus jamais.

Après avoir refait son maquillage, Imogene redressa les épaules. Il était temps d'aller faire semblant de s'amuser. En redescendant vers le hall, un bruit de rires et de voix, dans lesquelles elle reconnut celle de son oncle et celle d'une femme, attira son attention.

Curieuse, elle se glissa dans le corridor menant à la suite de son oncle. Elle jeta un rapide coup d'œil à l'intérieur et, stupéfaite, se rejeta vivement contre le mur. Abraham Danforth ne parlait pas affaires avec sa directrice de campagne, Nicola Granville… Il était trop occupé à l'embrasser.

Imogene resta le dos collé au mur et entendit son oncle déclarer :

— Je veux rester seul avec vous, Nicola. Rien qu'un moment.

Même après que la porte de la chambre à coucher se fut refermée, Imogene ne bougea pas. Il était manifeste que l'oncle Abraham ne se concentrait pas uniquement sur sa campagne. Si quelqu'un devinait qu'il prenait du bon temps avec un membre de son staff, ce serait un scandale de plus dans une campagne qui en était déjà parsemée.

Mieux valait garder le secret. En tout cas, se dit-elle, son oncle avait bon goût. Nicola Granville était une rousse flamboyante, d'au moins quinze ans la cadette du candidat au Sénat.

Imogene consulta sa montre. Bientôt 22 heures. Elle décida de rentrer chez elle dès que les mariés seraient partis pour leur lune de miel.

Elle commença la descente de l'escalier, mais s'arrêta net. Un homme se tenait au bas des marches. Vêtu d'un classique smoking noir, mains dans les poches. Ses cheveux noirs comme une nuit sans lune étaient dissimulés sous un voile blanc maintenu par un bandeau.

Un véritable prince du désert avec sa beauté sombre, mystérieuse, magnifique.

Pourquoi Raf était-il venu ?

Son regard gris posé sur elle était intense, profond, et Imogene eut l'impression de flotter en descendant les dernières marches. Lorsqu'elle se retrouva devant Raf, il lui tendit la main. Elle entrelaça ses doigts aux siens sans la moindre hésitation. Ils ne prononcèrent aucun mot tandis qu'il la guidait à travers la salle de bal vers la véranda qui dominait la pelouse.

Là, Imogene se tourna vers Raf, mais, sans lui laisser le temps de prononcer un mot, il murmura :

— Il n'y avait que vous.

— Je ne comprends pas.

La seule chose qu'Imogene comprenait, en fait, était l'effet puissant que la présence de son prince du désert produisait sur elle. Raf tendit la main et lui repoussa une mèche derrière l'oreille, puis il se mit à jouer avec la boucle en diamant suspendue à son lobe.

— Le dernier soir, vous vouliez absolument que je vous fasse l'amour comme si vous étiez persuadée que quelqu'un d'autre s'était glissé entre nous. Ce n'était pas vrai. Il n'y avait que vous, et seulement vous.

Souffle coupé, Imogene balbutia :

— Mais je croyais…

— Que lorsque je vous faisais l'amour, je le faisais à ma femme ? Rien ne pourrait être plus loin de la vérité.

Il désigna un banc dans un coin de la véranda.

— Venez vous asseoir avec moi un moment. Il faut que je vous explique les circonstances de mon mariage.

— Est-ce vraiment nécessaire ? demanda Imogene, devant l'expression de tristesse de son visage et de son regard. Vous avez sans doute raison : le passé appartient au passé.

— Mon passé ne sera pas enterré tant que vous ne saurez pas tout.

Ils s'assirent côte à côte sur le banc et elle écouta les explications de Raf sur les circonstances de son mariage, ses relations avec son épouse et sa fin tragique.

— Elle ne voulait jamais que je la touche, dit-il. Tout ce que nous faisions l'était par obligation, non par amour. Et elle est morte en me détestant.

— Est-ce la raison pour laquelle vous désiriez prendre votre temps avec moi ?

— Oui. Autant pour les leçons d'équitation que pour faire l'amour. Je voulais absolument que vous soyez en sécurité sur le cheval et de votre plein gré dans mon lit.

— Je pense vous l'avoir prouvé à plusieurs reprises.

Raf sourit enfin.

— J'avais besoin d'en être certain. Je m'étais juré de ne jamais faire l'amour à une femme qui n'en aurait pas eu envie.

— Mais moi si, Raf.

Et c'était toujours vrai. Elle désirait également une réponse à une autre question.

— Est-ce la seule raison de votre présence ici ? Pour me donner une explication ?

Il lui prit les mains et les porta à ses lèvres.

— Je suis venu ce soir pour modifier ma proposition.

Imogene eut l'impression que son cœur allait s'arrêter de battre. Elle avait tant espéré qu'il viendrait pour lui dire à quel point elle lui avait manqué !

— La modifier ? De quelle manière ?

— Je souhaite vous offrir davantage. Un partenariat.

— Au haras ?

— Oui. Je voudrais vous offrir la moitié de l'affaire.

— Pourquoi diable feriez-vous cela ?

— Je me suis entretenu hier avec les Grantham. Ils m'ont informé que vous aviez quitté votre employeur. Ils m'ont également dit que vous les aviez convaincus de prendre une participation sur BaHar. Vous avez prouvé que vous aviez à cœur les intérêts du haras.

Et les siens davantage encore, songea Imogene.

— C'est ma façon de vous remercier de m'avoir appris à monter à cheval. C'était la moindre des choses que je pouvais faire pour vous.

— Il y a autre chose que vous pourriez faire pour moi.

Il baissa les yeux vers leurs mains jointes.

— La dernière fois que j'ai fait cela, je le crains, c'était seulement pour signer des papiers.

— Vous avez déjà eu un associé ?

Le regard sombre croisa le sien.

— Je ne fais pas seulement référence aux affaires. Je voudrais que vous soyez bien plus qu'une associée. Je voudrais que vous soyez ma femme.

— Si vous voulez dire que je suis amoureuse de vous, ma réponse serait un oui absolu. Mais vous, quels sont vos sentiments pour moi ?

Raf avait tout son cœur dans son regard lorsqu'il lui répondit.

— Vous êtes la seule femme forte que je connaisse. La femme la plus belle et la plus passionnée que j'aie jamais rencontrée. Et la seule que j'aie jamais aimée.

Imogene ne put que le contempler fixement, car une boule dans la gorge l'empêchait de parler. Raf recueillit du pouce une larme qui se formait au coin de son œil.

— Imogene Danforth, voulez-vous m'épouser ?

— Oui, dit-elle avec un sourire tremblant. Mais à une seule condition.

— Si vous acceptez, je vous promets tout ce que vous voudrez.

Imogene rit à travers ses larmes.

— Alors, ne m'appelez plus jamais Imogene !

— Je vous en fais la promesse, Génie.

La pluie se mit à tomber au moment où il la prenait dans ses bras. Un déluge qui leur donna l'impression d'engloutir le passé et de ressusciter les instants qu'ils avaient consacrés à la découverte l'un de l'autre et de leur amour. Puis la pluie augmenta. Les baisers de Raf aussi, empreints de la même passion qu'Imogene avait déjà connue entre ses bras, et d'une toute nouvelle émotion qu'elle commençait à peine à comprendre.

Au bout d'un instant, Raf mit fin aux baisers et proposa de rejoindre la réception pour prendre congé.

— Je déteste les adieux, lui dit Imogene en l'embrassant sur la joue. Il n'y en aura plus à l'avenir en ce qui me concerne.

— Dans ce cas, rentrons vite avant que la pluie n'abîme votre robe. Ensuite, je vous propose de retourner au haras pour que je puisse vous l'enlever lentement.

— Voilà un beau projet !

A l'intérieur, des gens s'étaient massés dans le grand hall et, avant qu'Imogene ait pu comprendre ce qui lui arrivait, une main lui saisit le bras et la tira en avant.

— Place-toi au premier rang. Tina va lancer son bouquet.

Imogene jeta un coup d'œil à sa mère apparemment indifférente au fait que sa fille soit trempée jusqu'aux os. Mais, quand le bouquet atterrit entre ses bras, elle le jeta derrière son épaule et les autres jeunes filles se précipitèrent, à qui l'attraperait la première.

— Pourquoi as-tu fait cela ? s'enquit sa mère. Et pourquoi as-tu l'air d'un rat noyé ?

Imogene se mit à rire.

— Je sors de l'averse. Voilà pourquoi je n'ai pas besoin de ce sacré bouquet.

Sa mère fronça les sourcils.

— Ce que tu racontes n'a aucun sens !

Imogene jeta un coup d'œil derrière elle. Raf se tenait un peu à l'écart de la foule, son smoking ponctué de gouttes de pluie.

— Cela en aura un si tu veux bien me suivre, dit-elle à sa mère.

Elle passa un bras sous le sien et se fraya un chemin parmi les invités. Arrivée près de Raf, elle s'arrêta et lui sourit.

— Raf Shakir, je vous présente ma mère, Miranda Danforth. Maman, voici mon fiancé, Raf Shakir.

Sa mère toisa Raf puis la regarda à son tour, les yeux agrandis par la surprise.

— Je te demande pardon ?

Imogene saisit la main de Raf.

— Je te donnerai des détails plus tard. Pour l'instant, nous devons partir de toute urgence.

— Où allez-vous ? s'écria Miranda.

— Au paradis, maman !

Épilogue

La réception de mariage se déroulait sur la pelouse du haras, sous un ciel nuageux. Un peu à l'écart des invités, Raf regardait sa nouvelle épouse fendre la foule en femme d'affaires consommée qu'elle avait toujours été. Désormais, elle était aussi son associée, son épouse, son *alter ego*, l'amour de sa vie.

Quelques heures à peine auparavant, au cours d'une cérémonie très simple, ils avaient échangé leurs vœux. Les invités, environ cent cinquante amis, associés, clients, sans oublier la nombreuse famille de Génie, avaient été ensuite conviés à une réception gigantesque. Raf aurait préféré se marier en petit comité, mais il avait été incapable de refuser à Génie son envie d'un grand mariage. D'autant plus que, cette fois, il avait épousé une femme qui était venue vers lui de son plein gré, sans y être obligée. Une femme qui lui avait démontré le véritable sens de l'amour lorsqu'elle avait accepté de le suivre pour toujours.

Impatient de la retrouver, Raf se fraya un chemin pour retrouver Imogene en grande conversation avec un gentleman au teint coloré et aux cheveux gris.

— Merci, monsieur Worth, dit Imogene tandis que Raf lui enlaçait la taille et l'attirait contre lui. Nous vous enverrons la documentation dès notre retour de lune de miel.

— C'est entendu, renchérit Raf. Maintenant, si vous voulez bien nous excuser…

Sans laisser à Génie le temps de protester, Raf l'entraîna à travers la pelouse en direction des écuries.

— Où allons-nous ? demanda-t-elle en soulevant sa robe au moment où ils pénétraient dans les écuries. Je vais salir ma robe.

— Pas si tu l'enlèves, dit-il sans ralentir le pas.

Au pied de l'escalier menant à l'appartement, il la souleva entre ses bras et grimpa les marches quatre à quatre, à bout d'impatience et de désir. Il ouvrit la porte et lui fit franchir le seuil comme Doris lui avait enjoint de le faire, c'est-à-dire sans qu'Imogene pose le pied par terre. La gouvernante l'avait informé que sans cette tradition absolument nécessaire, le mariage ne pourrait être considéré comme valide. Raf n'en avait, bien entendu, rien cru, mais il n'allait quand même pas prendre le moindre risque.

Une fois à l'intérieur, il remit Génie sur ses pieds et la tint serrée contre son cœur qui battait la chamade. Elle leva la tête vers lui et sourit.

— Pourquoi m'as-tu amenée ici ? demanda-t-elle.

— D'abord, parce que je ne pouvais plus supporter de ne pas t'avoir à moi tout seul. Ensuite, parce que nous n'avons jamais fait l'amour ici. Et enfin, parce que si je t'avais laissée seule un peu plus longtemps, tu aurais vendu toutes les parts de BaHar avant la fin de la journée.

Génie lui lança un regard malicieux.

— En réalité, c'est déjà fait.

— Non ? C'est le jour de notre mariage quand même !

— Tu m'en veux ?

Il lui embrassa le coin de la bouche, un de ses endroits favoris, l'autre étant dissimulé par la robe qu'elle était en train d'ôter.

— Pas du tout. Cela va nous permettre, pendant les deux prochaines semaines en Italie, de nous concentrer sur tout autre chose…

Elle lui desserra sa cravate.

— Je meurs d'impatience.

— Nous partons demain matin, à la première heure.

— Je veux dire que c'est *maintenant* que je ne peux plus attendre.

Un sourire vibrant illumina le beau visage de Génie tandis qu'elle bataillait avec les boutons de son veston et le faisait glisser de ses épaules.

— Je ne vois pas pourquoi nous ne pourrions pas faire une petite pause avant d'entamer notre lune de miel.

— Entièrement d'accord. Mais j'ai d'abord une question à te poser.

Génie s'attaquait maintenant à ses boutons de chemise.

— D'accord. Vas-y.

— Est-ce que tu es intéressée par la reproduction ?

Génie fit céder le dernier bouton et ses mains coururent sur le torse dénudé de son époux.

— Avec un bon étalon, pourquoi pas ? Mais je suis contre la procréation artificielle. J'aime que les choses se déroulent naturellement.

— Alors, tu désires avoir des enfants ?

Dans les yeux verts qui se levaient vers lui, Raf put déchiffrer son avenir.

— Oui, Raf. Au moins six.

Il fronça les sourcils.

— Six ?

— Oui, six. Ali prétend que c'est un nombre pair parfait. Il m'a dit aussi qu'avec autant d'enfants, tu auras la certitude qu'au moins l'un d'entre eux s'occupera de toi dans ta vieillesse.

Raf ne put retenir un éclat de rire.

— Ali est un homme sage. J'espère avoir assez d'énergie pour élever six enfants.

— Je n'ai aucun doute à ce sujet, dit Génie, la main posée sur sa braguette.

— J'ai dit « élever » six enfants, non les concevoir ! Car en ce qui concerne la conception, je peux t'assurer que je serai apte à la tâche pendant encore de nombreuses années.

Génie le caressa du bout des doigts à travers le fin tissu de son pantalon de smoking.

— A mon avis, tu l'es déjà, mon amour.

Consumé par la passion qu'elle lui inspirait, Raf la débarrassa de sa jolie robe de mariée en satin et enleva son pantalon. Mais, au moment où il l'entraînait vers le lit, on frappa à la porte.

— Qu'est-ce que c'est ? grommela Raf.

— C'est Ali, cheikh. La mère de la mariée souhaite que vous veniez découper le gâteau. Les invités commencent à s'impatienter.

C'était aussi le cas d'Imogene que Raf avait commencé à caresser de manière intime.

— Dis-lui de nous accorder encore une heure et fais couler le champagne à flots. Cela devrait les mettre…

Génie étouffa une exclamation au moment où la main de son époux atteignait son point le plus sensible.

— … de bonne humeur, acheva-t-il.

— Comme il plaira à Votre Altesse.

— Votre Altesse ? répéta Imogene quand Raf la souleva entre ses bras.

— Oui, Génie. Tu es une princesse désormais.

Elle posa la tête contre sa robuste poitrine.

— Et toi, tu es mon prince à jamais. D'autant plus que tu es charmant et que ma mère t'adore. Mon père t'aime beaucoup aussi. Pour mes frères, il te faudra gagner leur estime car ils me considèrent toujours comme la petite sœur à protéger.

Si seulement, songea-t-elle fugitivement, sa petite sœur avait été là aujourd'hui pour assister à son mariage avec l'homme qu'elle aimait. Si seulement…

Raf la déposa sur le couvre-pied et prit son visage entre ses mains.

— Nous continuerons à la rechercher, Génie.

Une fois de plus, son prince du désert avait deviné ses pensées.

— Je m'accroche toujours à cet espoir, Raf. Mais ce sera plus facile maintenant que tu es avec moi pour le partager.

Puis Génie souleva leurs mains et contempla les anneaux d'or, symboles de leur appartenance l'un à l'autre.

— Tu es ma famille aussi, maintenant, Raf. Je t'aime bien plus que tu ne peux l'imaginer.

— Et je t'aime tout autant, Génie.

Il lui fit l'amour ensuite, sans fermer les yeux une seule fois et, ainsi, il dissipa tous les doutes qu'Imogene aurait pu avoir en lui prouvant qu'elle était la seule dans son esprit, dans son cœur et dans sa vie.

Pour toujours.

TOURNEZ VITE LA PAGE,
ET DÉCOUVREZ,
EN AVANT-PREMIÈRE,
UN EXTRAIT
DU SEPTIÈME VOLUME

LA DYNASTIE
DES
Danforth

L'AMOUR EN HÉRITAGE
de Cathleen Galitz

À paraître le 1er juillet
dans la **Collection** *Passion*

Extrait de *L'amour en héritage*
de Cathleen Galitz

Heather Burroughs frappa plusieurs fois à la porte en chêne massif sans obtenir de réponse. Pourtant, elle savait qu'elle était attendue par son futur employeur, Tobias Danforth, dans ce somptueux ranch du Wyoming dont l'agence lui avait donné l'adresse.

En désespoir de cause, elle tourna la poignée pour entrer, et s'immobilisa au seuil de l'immense salon. L'oreille aux aguets, elle se dirigea vers l'endroit d'où provenait une voix masculine. Là, elle s'arrêta, pétrifiée par la scène qu'elle découvrit. Un homme brandissait un biscuit sous le nez d'un tout petit garçon.

— Vas-y, Dylan. Dis-moi ce que tu veux. Je t'écoute, disait l'homme dont la voix trahissait l'énervement.

Une petite main potelée se tendit vers le biscuit qui fut aussitôt éloigné tandis que les yeux de l'enfant s'emplissaient de larmes. Des yeux étrangement identiques à ceux de son bourreau. Elle vit les larmes couler sur les petites joues rondes et entendit le monstre marmonner ce qui devait être un juron. Entièrement absorbé par le désir d'imposer sa volonté à l'enfant, l'homme n'avait pas remarqué la présence de Heather.

— Vas-y, Dylan, insista-t-il encore. Dis-le.

Heather savait d'expérience ce qu'on ressentait quand on vous faisait miroiter une friandise pour aussitôt vous en priver. Pas question de rester sans rien faire à regarder un adulte jouer à un jeu cruel avec un enfant.

— Donnez-moi cela, dit-elle.

L'homme et l'enfant sursautèrent.

Sans se laisser troubler par le regard offusqué de l'adulte, Heather s'approcha d'un pas rapide et lui prit le biscuit des mains. Elle s'accroupit près de l'enfant, essuya ses larmes du bout des doigts et lui donna le gâteau. Il le prit à deux mains avec un regard reconnaissant et s'empressa de le fourrer dans sa bouche de peur qu'on le lui reprenne.

— Pour qui vous prenez-vous ? Et d'abord, qui êtes-vous ? demanda sèchement Tobias Danforth.

Accroupi sur le sol, il la fusillait du regard. Puis il se leva, déployant son mètre quatre-vingt-dix pour lui faire face. Il la dominait de trente bons centimètres.

Heather inspira profondément.

— Je suis Heather Burroughs, la nurse envoyée par l'agence à laquelle vous avez fait appel, dit-elle. Et je me permets de mettre fin au supplice de cet enfant.

— Comment osez-vous…

— J'ose parce que cela me touche, rétorqua-t-elle, le menton levé en un geste de défi.

Il la transperça d'un regard de ses yeux bleus glacés. Malgré cela, elle ne baissa pas les yeux, même si elle avait les jambes flageolantes.

— Vous ne croyez pas que cela me touche également ? demanda-t-il, d'une voix coupante.

— Je crois surtout que les services sociaux seraient de mon avis et n'approuveraient pas votre façon de traiter cet enfant, rétorqua-t-elle d'une voix ferme.

— Sortez, mademoiselle ! Quittez cette maison immédiatement.

Les épaules de Heather s'affaissèrent. Elle venait de perdre son premier emploi, avant même d'avoir commencé. Elle allait être obligée de retourner chez son père — à vingt-cinq ans ! — et renoncer à toute indépendance.

Elle tourna les talons et se dirigea vers la porte.

— Dateau, dit une petite voix hésitante.

Elle fit volte-face à temps pour voir le visage de Tobias Danforth subir une transformation radicale. Ses traits virils s'adoucirent et le regard glacial devint chaleureux. Il se mit à genoux devant le petit garçon, le prit par les épaules et le regarda dans les yeux.

— Qu'as-tu dit ?

Que voulait-il de plus ? Ne comprenait-il pas les efforts de l'enfant pour articuler le mot exigé ?

La gorge sèche, Heather décida d'intervenir de nouveau, puisque, de toute façon, elle n'avait plus rien à perdre.

— Il a dit « gâteau », dit-elle. D'après moi, il en voudrait bien un autre.

— D'après moi, il peut avoir toute la boîte ! s'écria Tobias, fou de joie.

Il prit Dylan dans ses bras et, se relevant sans effort, le fit tournoyer dans les airs. Les visages du père et de l'enfant arboraient la même expression de bonheur.

Ravi de ce qui lui arrivait, Dylan répéta :

— Dateau !

Heather vit les yeux du père de l'enfant s'embuer de larmes. Il déposa son fils par terre et lui ébouriffa les cheveux. Il attrapa la boîte de gâteaux et la donna à Dylan qui lui entoura le cou de ses petits bras et lui couvrit le visage de baisers.

Heather sentit sa gorge se serrer. C'était un spectacle si éloigné de ce qu'elle avait connu dans sa propre enfance…

Elle reprit le chemin de la porte mais fut arrêtée par une voix sonore, au fort accent du sud. Une voix chaleureuse.

— Où allez-vous ?

Elle se retourna pour voir le visage de Tobias Danforth maculé de chocolat.

— Vous m'avez ordonné de quitter cette maison, lui rappela-t-elle.

Il avança vers elle à grandes enjambées.

— Oubliez ce que j'ai dit.

182

Tout en lui parlant, il se frottait la joue d'un air embarrassé. Puis il regarda sa main qui arborait une tache de chocolat. Il sourit et sortit un mouchoir de sa poche pour s'essuyer le visage.

Sans réfléchir, Heather lui prit le mouchoir des mains.

— Laissez-moi faire, dit-elle.

Elle le débarrassa des miettes collées sur son menton et ce qui n'était qu'un geste anodin prit soudain une dimension plus intime. Les yeux de Tobias dans les siens, elle soutint son regard, mais sentit un frisson la parcourir tandis que le mouchoir se mettait à trembler dans sa main. Son regard s'attarda sur la bouche, les lèvres ourlées.

Tobias lui prit la main et, au contact de ses doigts, Heather ressentit une décharge électrique dans tout son corps. Elle en oublia de respirer et Tobias Danforth, conscient de sa réaction, relâcha sa main.

Il toussota.

— Je ne sais pas si l'agence vous a prévenue, dit-il. Dylan souffre d'un retard comportemental. J'ai besoin d'une personne pour lui faire faire les exercices prescrits par le psychologue. Exercices du genre de celui que vous avez si... brutalement interrompu.

— Je... je suis désolée, balbutia-t-elle.

Tobias se passa la main dans la masse de ses cheveux bruns. Et Heather eut soudain envie d'y plonger les doigts.

— Ne le soyez pas. Vous avez obtenu de Dylan en cinq minutes ce que je n'ai pas réussi à en tirer depuis le départ de sa mère, reconnut-il, les sourcils froncés.

Heather se demanda ce qui avait bien pu provoquer le départ de sa femme. Quelles qu'en soient les raisons, elle sentit son cœur se serrer à l'idée du tout petit garçon abandonné par sa mère.

Tobias s'éclaircit la voix et poursuivit :

— Votre CV indique que vous êtes musicienne. Or, mon fils manifeste un talent précoce dans ce domaine. A tout juste trois ans, il est capable de reproduire d'oreille, des airs qu'il a entendus.

— J'espère que votre but n'est pas de l'expédier dans une de ces écoles pour jeunes prodiges comme mes parents l'ont fait pour moi !

Surpris, il écarquilla les yeux et secoua la tête.

— Je n'ai pas l'intention de l'envoyer ailleurs… qu'ici, dit-il. Ce que j'espère, c'est que, grâce à la musique, vous aidiez mon fils à sortir de sa coquille.

— Je serai heureuse d'aider Dylan à cultiver ses dons pour la musique si, et j'insiste, seulement si c'est ce qu'il désire.

— Parfait. Vous avez déjà fait la connaissance de Dylan, je crois, ajouta-t-il avec un petit sourire désarmant.

En entendant son nom, le petit garçon lâcha la boîte de gâteaux et tendit les bras vers Heather. Sans hésiter, elle le souleva de terre et il se blottit contre elle. Il sentait bon le shampoing et le chocolat, et le baiser qu'il appliqua sur la joue d'Heather lui alla droit au cœur.

— Quand voulez-vous que je commence ?

Ne manquez pas le 1ᵉʳ juillet
L'amour en héritage de Cathleen Galitz,
le volume suivant de la Dynastie des Danforth

Le nouveau visage
de la collection Or

◆

AMOURS D'AUJOURD'HUI

Afin de mieux exprimer sa modernité et de vous séduire encore davantage, votre collection Or a changé de couverture et de nom depuis le 1er mars 1995.

Rassurez-vous, les romans, eux, ne changent pas, et vous pourrez retrouver dans la collection **Amours d'Aujourd'hui** tous vos auteurs préférés.

Comme chaque mois, en effet, vous y attendent des héros d'aujourd'hui, aux prises avec des passions fortes et des situations difficiles...

**COLLECTION
AMOURS D'AUJOURD'HUI :**
Quand l'amour guérit des blessures de la vie...

Chère lectrice,

Vous nous êtes fidèle depuis longtemps?
Vous venez de faire notre connaissance?

C'est pour votre plaisir que nous avons
imaginé un rendez-vous chaque mois
avec vos auteurs préférés, vos
AUTEURS VEDETTE dans les
collections Azur et Horizon.

Les AUTEURS VEDETTE vous
donneront rendez-vous pour de
nouveaux livres vedette.

Pour les reconnaître, cherchez
l'étoile... Elle vous guidera!

Éditions Harlequin

HARLEQUIN

LE FORUM DES LECTEURS ET LECTRICES

CHERS(ES) LECTEURS ET LECTRICES,

VOUS NOUS ETES FIDÈLES DEPUIS LONGTEMPS?

VOUS VENEZ DE FAIRE NOTRE CONNAISSANCE?

SI VOUS AVEZ DES COMMENTAIRES, DES CRITIQUES À FORMULER, DES SUGGESTIONS À OFFRIR, N'HÉSITEZ PAS... ÉCRIVEZ-NOUS À:

> LES ENTERPRISES HARLEQUIN LTÉE.
> 498 RUE ODILE
> FABREVILLE, LAVAL, QUÉBEC.
> H7R 5X1

C'EST AVEC VOS PRÉCIEUX COMMENTAIRES QUE NOUS ALLONS POUVOIR MIEUX VOUS SERVIR.

DE PLUS, SI VOUS DÉSIREZ RECEVOIR UNE OU PLUSIEURS DE VOS SÉRIES HARLEQUIN PRÉFÉRÉE(S) À VOTRE DOMICILE, NE TARDEZ PAS À CONTACTER LE SERVICE D'ABONNEMENT; EN APPELANT AU (514) 875-4444 (RÉGION DE MONTRÉAL) OU 1-800-667-4444 (EXTÉRIEUR DE MONTRÉAL) OU TÉLÉCOPIEUR (514) 523-4444 OU COURRIER ELECTRONIQUE: AQCOURRIER@ABONNEMENT.QC.CA OU EN ÉCRIVANT À:

> ABONNEMENT QUÉBEC
> 525 RUE LOUIS-PASTEUR
> BOUCHERVILLE, QUÉBEC
> J4B 8E7

MERCI, À L'AVANCE, DE VOTRE COOPÉRATION.

BONNE LECTURE.

HARLEQUIN.

VOTRE PASSEPORT POUR LE MONDE DE L'AMOUR.

COLLECTION HORIZON

Des histoires d'amour romantiques qui vous mènent au bout du monde!

Découvrez la passion et les vives émotions qu'apportent à la Collection Horizon des auteurs de renommée internationale!

Captivantes, voire irrésistibles, ces histoires d'amour vous iront assurément droit au coeur.

Surveillez nos trois nouveaux titres chaque mois!

GEN-H-R

La COLLECTION AZUR

Offre une lecture rapide et

☑ *stimulante*

☑ *poignante*

☑ *exotique*

☑ *contemporaine*

☑ *romantique*

☑ *passionnée*

☑ *sensationnelle!*

*COLLECTION AZUR...des histoires
d'amour traditionnelles qui vous
mènent au bout monde!
Cinq nouveaux titres chaque mois.*

GEN-RP-R

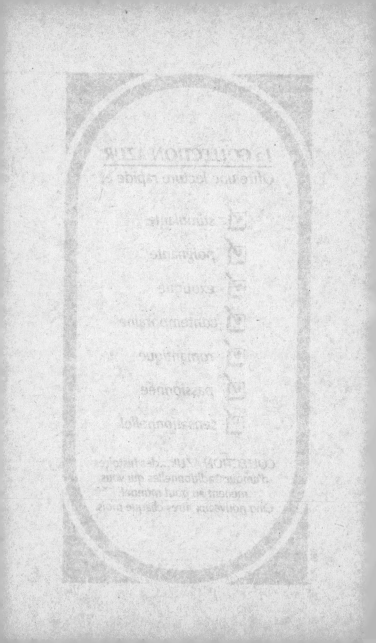

L'ASTROLOGIE EN DIRECT
TOUT AU LONG
DE L'ANNÉE.

(France métropolitaine uniquement)
Par téléphone 08.92.68.41.01
0,34 € la minute (Serveur SCESI).

Composé et édité par les
*éditions*Harlequin
Achevé d'imprimer en mai 2005

BUSSIÈRE
GROUPE CPI

à Saint-Amand-Montrond (Cher)
Dépôt légal : juin 2005
N° d'imprimeur : 51086 — N° d'éditeur : 11315

Imprimé en France